U0118462

目錄

緣起

香港演藝學院戲劇學院高級講師（編劇及劇場構作）
潘詩韻

二〇二〇年五月，資深舞台製景師魯德義師傅辭世，消息震驚了香港表演藝術界。

由二十世紀八十年代起，香港舞台演出的製景工作，幾乎由魯師傅及他的團隊一手包辦，跟他合作過的設計師都說，有魯師傅製景，他們便放心。魯師傅可說是撐起了整個香港表演藝術界的舞台美學發展，他的辭世，對香港無疑是重大損失。

所以，當資深舞台製作經理李浩賢問我可否幫魯師傅出一本專集，記念也記錄他為香港表演藝術作出的貢獻，我二話不說一口答應。

我們隨即組成了魯師傅專集編輯委員會，成員包括召集人李浩賢、時任香港舞台技術及設計人員協會項目策劃主任徐碩朋，以及監製黃懿雯、製作經理曾以德。出版方面，由於編輯工程龐大，我邀請了國際演藝評論家協會（香港分會）（IATC(HK)）擔任執行出版的工作，並找來資深編輯朱琼愛及林喜兒加入編輯團隊。

委員會先在二〇二〇年六月二十八日假兆基創意書院多媒體劇場舉行「追憶・有德有義魯師傅」追思及摯友分享會，香港劇場台前幕後眾多手足一呼百應，傾力參與統籌、佈展、裝置、邀請及聯絡等事宜，並得策劃人羅妙妍及平面設計師Ketchup統籌、設計及編印魯師傅歷年製景作品的紀念冊，供其家人及業界留念。

我們同時眾籌集資，籌備出版魯師傅專集，得業界朋友共襄善舉、香港話劇團及中英劇團更主動支持龐大的編彙、設計、印刷、訪問拍攝及網上錄像資料庫的製作費用，實在感激不盡，編務工作亦隨即展開。

此專集按舞台設計、製作技術、場地政策及教育傳承四方面，透過訪問這四個範疇不同年代的業界朋友，綜合記錄及概述過去四十年魯師傅對香港舞台藝術的貢獻，並側寫香港舞台技術及美學發展的面貌。二〇二一年四月至七月期間，編輯及拍攝團隊進行了17次訪問，每次訪問三至四位嘉賓，受訪嘉賓多達52人。訪問按受訪者的入行年代、以及魯師傅的製景發展由香港火炭工場到深圳觀瀾的大型廠房的不同階段分組進行，受訪對象包括魯師傅的舞台好友、導演編舞、舞台設計師、場地管理、製作經理、舞台監督以及藝術行政等，大家都鼎力相助，對他的恩情都銘記於心。另外，編輯團隊也探訪了魯師傅的家人、同事及徒弟，充滿溫度的內容不單反映了魯師傅的恩與情，更反映著香港舞台美學近四十年的變遷。這些彌足珍貴的訪問，透過出版本專集及網上錄像資料庫，為香港舞台表演留下歷史的印記。前人的建樹，繼續為後人遮陰擋雨之餘，也樹立了氣度的榜樣，為後人立下堅實的根基。

從公開徵集全港逾百個大小型藝團的佈景製作及演出圖片、聯絡統籌、編匯分類、圖片修輯、以至歷史文獻的搜集、訪問記錄等，都由編輯委員會仝人一手包辦。在此衷心感謝一眾嘉賓、編輯及拍攝團隊，以及借出訪問場地的各個單位；也感謝委員會成員無償付出，還有IATC(HK)的總經理陳國慧，執行編輯郭嘉棋及楊寶霖日以繼夜的編輯工作，曾以德及梁菀桐不辭勞苦聯絡業界及藝團，攝製團隊Ziv、Ray及Thomas，本專集的設計師張惠淳具格調的設計，訪問的文字整理及記錄員，還有每一位香港表演藝術界的朋友，以及魯師傅家人的信任及慷慨分享。

願此書能讓魯師傅有德有義的精神，傳承下去。

共勉之。

德義兼備的「老大哥」

香港話劇團榮休藝術總監
陳敢權

魯德義，人稱「魯師傅」。「師傅」一詞絕對當之無愧，皆因其足跡遍佈香港大大小小的藝術團體，與魯師傅共事過的，無不對他的藝術涵養、專業敬業的魄力及犧牲奉獻的精神折服。

他與「香港話劇團」（話劇團）的淵源甚深，劇團大大小小的重要劇作，如《愛情觀自在》（1996）、《城寨風情》（1996）、《德齡與慈禧》（2008）、《頂頭鎚》（2013）和《有飯自然香》（2015）等皆由魯師傅承製。我任話劇團舞台監督年間，與製景師傅關係密切，我亦有擔任佈景設計的時候，佈景都是由魯師傅帶領的團隊承擔製作。其中一九八四年的《茶館》造景，因用了「套景」方法快速更換三台大景，又要同時適合香港大會堂劇院及高山劇場兩個舞台，十分複雜，魯師傅完善了我的設計，獲劇評盛讚是「鬼斧神工」。一九九一年，我亦為《傅雷與傅聰》設計佈景，知道也是魯師傅承造，馬上安心。魯師傅的技藝也媲美國際水平，譬如一九八五年，時任話劇團藝術總監楊世彭執導《小狐狸》（*The Little Foxes*），當時我是佈景及道具統籌，該劇請來美國知名舞台設計師挪文．堅肯士．魯斯（Norvid Jenkins Roos）助陣，其設計甚考造景手藝，但經由魯師傅一再雕琢，連享譽國際的挪文亦讚賞造工細緻華美，巧奪天工！

魯師傅除了美術專業基礎扎實，工作態度亦認真。在未有電腦的年代，佈景設計圖都是人手繪製，只是設計師的意念尚有天馬行空，如果設計交由魯師傅承製，他必細思鑽研，重新繪製施工圖，甚花心力。在內地設廠後，更見引入新技術或添置新機器，務求以安全穩固的結構，儘可能呈現設計師的劇場美學。另外，因香港大多場地只得數天供劇組入台，魯師傅團隊十分了解我們在時間上的限制，當是穩妥及按時完工。從這方面看，若說他推動了一代香港舞台佈景設計與藝術的發展，絕不為過。

更難得的是魯師傅有著獨特的魅力和高尚的氣節。我倆均為上海人，在合作時，我都稱他為「老大顧」（編按：上海話，意指「老大哥」）。他為人謙厚、和藹可親，每次到其廠房「睇景」，他必客氣地以禮相待，佳餚美酒、豪氣干雲，配得起「德義」之名。他更懷著俠骨仁心，常提攜劇壇後晉，即使中小藝團預算不足，亦兩肋插刀，願意收取比相宜更相宜的酬金，此義薄雲天之舉實為推動香港藝壇發展的一大助力！

我常說，我們都在魯師傅的佈景之中「生活」過。他本身也是一位舞台設計師，更以一雙匠心獨運的巧手為香港藝文界建成一個又一個家，撐住一代又一代人。從這位「老大哥」身上，我深深感受到至誠至真、有德有義，他是一整個舞台業界的前輩、師傅，就讓這套書把魯師傅的匠人精神傳頌開去！

對劇場的愛與信念

中英劇團藝術總監
張可堅

二〇一五年夏天，「中英劇團」（中英）在葵青劇院演出《紅色的天空》。舞台的正中央搭建了一棵大大的老榕樹，樹幹粗實屹立，綠葉盛開成蔭，遠看近觀都能感受到澎湃的生命力。我走到樹下，只見魯師傅正在欣賞自己的傑作，流露一臉滿足。榕樹的一根一葉，感動了製作人，感動了設計及創作團隊，相信座上觀眾也一樣。

這當然不是魯師傅為中英製作過的唯一傑作。一九九三年的《說書人柳敬亭》、二〇一八年的《羅生門》先後榮獲香港舞台劇獎「最佳舞台設計」和「最佳舞台設計」入圍提名，這固然是設計師的巧思，但也得要有魯師傅的巧手。我們都知道，創意之所以得以轉化為實物，甚至傑作，不單是魯師傅用心理解設計師的意念，傾盡所能呈現其精髓，更是因為他灌注了自己的想法，將佈景變成足以盛載整齣劇的支柱。對於我來說，魯師傅並不只是一個製作佈景的師傅，稱他為藝術家一點也不為過！

從一九八五年的《驚險樂園》起，過去三十多年來，中英與魯師傅在大大小小的演出合作過，有本地演出，也有內地巡演，每次合作他都會傾盡全力。在收到設計圖時，他會預視成品模樣，絞盡腦汁思考最好、最適合的製作方法，然後在製作過程中，發揮自己的美工技藝，為佈景的每一個細節注入靈魂。魯師傅陪伴中英由一個十多人的劇團發展成今天具規模的九大演藝團體之一，中英亦見證魯師傅努力將其公司發展成香港其中一間重要的舞台佈景製作公司。於是當業界提出為魯師傅和香港舞台製作一本帶有紀念性質的專書，中英主動支持，希望一盡微力，以文字及相片記錄他在香港舞台留下的足跡。

我們不單要記錄魯師傅對藝術的追求，更希望與讀者分享他的為人，特別是他重情重義的一面。對他來說，劇場不是一份工作，更不是一門生意，而是一個與同伴並肩努力的地方。這種態度正好與他對舞台藝術的追求相輔相成——要在劇場追求更高的藝術，就要發揮團體合作，不計較付出多與少。魯師傅也不自私，他無時無刻都在想著要如何讓劇場變得更好。他衷心希望有更多人入行，讓劇場百花齊放。

我們希望魯師傅的足跡，能夠啟迪我們要如何迎接日後的挑戰。魯師傅不但代表了香港舞台製作的發展，更是我們劇場人的榜樣——對自己的作品有要求、有熱情、不計較付出多少時間與精神、不為金錢等現實問題所限。這份信念，就是源自對劇場的一份愛。

魯師傅的食譜

國際演藝評論家協會（香港分會）總經理
陳國慧

魯師傅的家人在家中接受我們的訪問，訪問後，魯太給我們看魯師傅在家中養病時親手寫的食譜。我想起每次訪問，大家都會提到，魯師傅很喜歡邀請人家吃飯——最緊要吃飯，即使與設計師和製作人員如何爭持不下，但飯吃了，氣就消了，空間打開了，問題就好像找到解決的方法了。

很遺憾，因為沒能有緣認識魯師傅，我沒有機會吃過他請的飯，然而看著他寫的食譜，在依然充滿剛勁的筆跡之間，我好像也嚐到了他的盛情與溫熱，這樣柔軟地讓這城市過去超過四十年的舞台時光，流動在佈景如真似虛的空間內。

誠然我沒有遇上與魯師傅交流和被他關照的幸福，但有幸參與《好景——魯師傅與香港舞台》的接近二十個訪問，我著實能夠立體地拼湊出魯師傅鮮活的形象——這樣一位充滿想像力和行動力的藝術家，繪畫技術高超又有所追求，並且愛惜著在舞台上的每個閃亮在黑暗中的靈魂——他的生命透過每個舞台設計的空間，豐盛地綻放。正如受訪者說，他好像一棵大樹般護蔭著香港舞台，補白了這城市在製景方面的種種不足，大家在感激他的同時，也格外思考和實踐如何承傳與開拓。

《好景——魯師傅與香港舞台》是本地首本深入記錄和討論過去四十多年香港舞台製景發展的專書，內容包括結集五十多位受訪者講述製景發展的歷史與魯師傅的關係，另外我們亦精選了百多張照片，讓讀者重溫舞台佈景的瞬間。由於篇幅有限，未能一一盡錄所有訪問內容，除了略作刪節和調動外，我們亦整理了舞台崗位和術語表，內文亦保留口語質感，以方便讀者進入討論的語境；同時亦按提及次序輔以配圖以供讀者了解訪問中提及過的細節。惟一些年份久遠又重演過的演出，難以考究為哪個版本，因此未能準確配上適當照片，我們以同一演出的劇照讓讀者作參考。訪問集附上內文提及過的演出年代表，稍微梳理香港舞台發展歷史。訪問內文經受訪者過目，亦在可能範圍內盡力核實資料，歡迎讀者不吝指正。

國際演藝評論家協會（香港分會）非常榮幸能夠擔任執行出版的工作，一方面承接著我們協會「整理演藝歷程」的使命，同時也記念魯師傅與香港舞台的緣分。謝謝你魯師傅，我不臉紅地覺得，看你的食譜就等於吃了你請的飯了，這樣，我也就沾著邊，與你認識。

舞台崗位和術語表

崗位

（按全稱英文字母序）

簡稱	全稱	中文
APM	Assistant Production Manager	助理製作經理
ASM	Assistant Stage Manager	助理舞台監督
ATD	Assistant Technical Director	助理技術總監
	Carpenter	木匠／工匠
	Contractor	承辦商
	Crew	工作人員
DSM	Deputy Stage Manager	執行舞台監督
PM	Production Manager	製作經理
SM	Stage Manager	舞台監督
TD	Technical Director	技術總監
TM	Technical Manager	技術監督
RSM	Resident Stage Manager	駐場舞台監督
RTM	Resident Technical Manager	駐場技術監督

技術／設備（按簡稱英文字母序）

簡稱／常用名稱	中文	簡介
Bar	吊桿	用作吊掛幕布或佈景板的橫桿
Carpentry	木工工場／佈景製作間	製作佈景、道具的木工工場
Cue	技術效果提示	在演出中，向技術人員示意操作不同技術效果
Downstage	下舞台	舞台前方靠近觀眾席的位置
Flys System	懸吊系統	掛載佈景的吊掛系統，可分為手動和自動系統
Flying Iron	懸吊用固定片	用作掛載佈景的部件
Gauze	紗幕	通常指由綿或纖維製成的網狀半透明布幕
Hemp	後舞台手動拉繩吊桿	手動懸掛幕布或佈景板的橫桿
Leg	側幕／翼幕	用作遮蔽舞台兩側
Main Stage	主舞台	舞台上主要演出的位置
Proscenium	鏡框式舞台	一種舞台結構。指遮蔽舞台兩側，舞台演出位置就如在鏡框之中
Rear Curtain	後幕	後舞台的布幕
Rear Stage	後舞台	主舞台的後方，用作加深演出空間
Revolve	旋轉舞台	可旋轉，可分為手動和自動系統
Stage Left	台左	面向觀眾席方向的左方
Stage Right	台右	面向觀眾席方向的右方
Track	軌道	引導佈景的軌道，亦可指借路軌引導、移動
Upstage	上舞台	舞台後方遠離觀眾席的位置
Wagon	台車	用作搭載各種佈景、道具
Wing	硬式側幕／翼幕	用途與「leg」相同，同為遮蔽鏡框式舞台側位置
Wire	鋼纜	用作懸掛佈景的鋼纜

設計與美術篇

（從左起上而下）黃錦江、王志強、陳興泰

愈來愈有要求：從入行到專業化發展

日期：二〇二一年四月三日

時間：晚上九時至十一時

地點：ZOOM會議

訪問：潘詩韻（潘）

分享：黃錦江（江）、王志強（強）、陳興泰（泰）（按發言序）

整理：梁妍

潘： 你們幾位與魯師傅認識最久，我們希望透過各位口述的回憶，讓劇場後輩知道魯師傅入行的歷史。

首先我想問，是誰與魯師傅認識最久、知道他在內地學畫畫的經歷？應該是KK（黃錦江）？不如由你開始，你是怎樣跟魯師傅認識？

江： 我們從小就一起長大，性格很合得來。魯師傅豪氣、海派作風的性格其實是源於他當兵、還有在上海生活的日子，養成他很在乎情義的品性。江湖上說是我帶魯師傅入行，其實是誤會，並非如此。是他從小帶領我開啟對畫畫的興趣，不過我先來香港，香港（戲劇界）先認識我，所以以為我帶他入行。小時候做甚麼事情：攝影、畫畫、旅行，都是跟著他的。在上海，我們不喜歡外面那些樣板戲，就在家裡自己玩，佈景呀服裝呀都是亂來的，但是我們也玩得很開心。其實從那時候開始我們就已經有合作的默契了。

他來香港之後很彷徨，很想念妻兒，很想回去。我說：「你好不容易出來了，先堅持一下吧？」後來他就堅持下來了。我說：「你懂得畫畫，不如試試畫遊客畫吧？」首先他在尖沙咀攤檔賣「行貨畫」（編按：繪畫當地景色的風景畫，主要向遊客出售）。直到後來聘請了兩個人幫他工作，一個人幫他收錢，另一個人幫他翻譯。那時候真的很「巴閉」（威風），尖沙咀的警察全都認識他。有一次我在加州拍戲，在一間快餐店看到他那些行貨畫。他很聰明，通常別人畫在紙上，但他畫在絲綢上，有一種「絲綢之路」的感覺。而且他畫花鳥仕女畫那些非常快，像速寫一樣，不知道是賣十元還是二十元一張，還裝框的。

後來到了一九八一年，我開始參與香港的舞台設計。陳廣師傅他們比較習慣做粵劇的製作，如果是現代化的設計，當時的人可能有一點脫鉤，或者還未習慣。那時候市政局鼓勵我去做，我就去試一下，那是第十一屆亞洲藝術節開幕節目，「香港舞蹈團」（舞蹈團）的舞劇《岳飛》。我想起魯師傅最適合參與這個演出，因為他的手藝，從小時候已經很強。

我做設計，他做佈景製作，Tommy（王志強）負責燈光設計。那個設計裡面最重要的一部分，就是我親自寫的二十米大幕書法作品（圖一），但是他們說沒有預算，要捨棄這個部分，「我們已經有一個大幕了，你還設計一個大幕幹甚麼？」我說我這個大幕用作連接整個戲的氣氛，落了幕或者中場休息，整個氣氛也不可以斷，要用大幕上的那首詩連起來。後來魯師傅說：「不可以放棄這個設計，我送給你。不過，要你自己來寫。」他送給我的是技術、布、基本的美術。這個製作成功了，坊間評論很好，政府的新聞也突出了我這個大幕的設計。事實上這和魯師傅的付出很有關係，那塊大幕現在還存在貨倉裡。之後我發覺他可以獨當一面，我就轉到設計和電影方面，他也開始成立自己的公司，愈做愈大。

我覺得他最特別的是，他很有眼光，想到要去深圳發展。最初他設廠的地方還不屬於深圳新區，當時在內地還要過一道關口才可以到達深圳，然後才到香港，是非常艱難的。但他起碼想到了這一點，如果沒有這樣長遠的計劃，我相信他在香港這三十年來的製作也達不到這樣的效果。後來只需要一個關口就可以到香港，他基本上就住在深圳，他太太怎樣投訴也沒用，這個是他很大的付出。後來他的事業漸漸發展，譬如他英文不好，那麼他兩個女兒也來幫忙。現在他女婿也接班了，繼承了魯師傅的事業，就是這樣一路發展下來。

我作為一個從小一起玩耍的老朋友，看到他後來那三十年有這麼大的成績，看到整個舞台界的台前幕後都對他這麼懷念，我感到好驕傲，為他很高興，謝謝你們邀請我參加這個訪問。大家這樣懷念他為香港舞台界的付出，令他的家人都很驚訝。他太太甚至跟我說，想不到香港人這麼有情感。我說：「香港人本來就是這樣。不過，你先生離開之前，大家也不會無緣無故表達這些東西。香港就是這樣。」始終他們是從內地來的，對於香港、廣東人，一開始會有隔膜，但魯師傅沒有。雖然他的說話有很重的上海口音，但是他的思想很開放。

潘：　謝謝KK。好豐富的陳述。我想，行內很多人與魯師傅合作過，都不會刻意去分他是來自內地還是香港，大家就是一個合作團隊，我們都很感激魯師傅的付出。

江：　我覺得從魯師傅身上看得到香港人並不排外。如果現在說，香港人歧視內地人，那是胡說八道。香港人是最包容、能量最厲害的，關鍵是你是怎樣的人，而不是你從哪裡來。我比魯師傅早幾年來到香港，自己最有體會，現在從魯師傅身上也看到。他鄉音都沒有改，但香港人也對他很好，他對香港又這麼投入。香港這個福地令到他覺得自己有價值。

潘：　在追思會上面，我們也有展出他的畫作。

江：　很感動，我也看到，那個追思會辦得非常好。我跟他太太很熟，她也跟我說，他這一生也沒有遺憾了。這件事你們做得非常好，鍾景輝先生、盧景文先生等等，各方面出心出力，好像應該有三代的行內人吧？……好厲害……雖然我離開了舞台界三十年，不認識在場的所有人，但是那個感覺非常熟悉、親切，非常可貴。

事實上雖然魯師傅是業餘的畫家，但是他在部隊裡的作品參加了全國軍人美術展覽，需要達到一定水準才可以入選。他是從紹興去上海的，中學還未畢業就去當兵了。當年他是做電話兵，他畫自己的生活，我有看過，相當不錯。可以說他畫得有相當的水準，才可以入選軍隊的展覽。後來他投身佈景製作，才放棄做美術。我曾邀請他開畫展，但是他沒有空。這是唯一一個遺憾。很多舞台設計，需要繪畫知識的時候，魯師傅的修養、對繪畫的認識，起了很多幫助。他對藝術有要求……他有時候會提出自己的要求，不是你給他甚麼就做甚麼，這也是大家這麼接受他的原因之一。

強：　魯師傅的技藝是自學的？

江：　自學，沒有師父的。他自小畫畫、玩攝影也是靠自己，沒有跟誰學過，他研究那些木的結構也是靠自己，全部都是自己來。我在上海玩放大照片的機器，全是他一手一腳用木頭搭出來的，可以升降、放大。他從小就喜歡研究這些東西。他的西洋畫也畫得很好，很符合外國人的要求。其實他不僅畫國畫，還畫了很多油畫，尤其是文革期間，因為畫毛主席像，所以接觸了油畫。我相信他從中學了很多西洋畫的基礎和審美的眼光，這是他學藝的一個路徑。

強： 在表演藝術界，魯師傅出現的時間點配合得很恰當。因為陳廣(習慣)畫粵劇，沒有辦法達到（我們當時的要求)。在一九七七至八一年，有五個職業藝團成立，業界開始對佈景的質素愈來愈有要求。一九七九年第一屆荃灣藝術節、一九八六年第十一屆亞洲藝術節，也就是KK剛剛提到的《岳飛》……看得出時代是愈來愈有要求。而我們第一次與魯師傅合作，也完全沒有隔閡。

江： Tommy，不好意思，我插一句話。不僅是業界覺得粵劇那些舊一套需要改革，羅家英和李寶瑩也有這個要求。所以在魯師傅入行之前，在一九七八至七九年，羅家英和李寶瑩找了我設計佈景，而沒有找陳廣，他們也想改良，想和以前不一樣。所以粵劇界像他們那一輩也有這個願望，才會促使我做舞台設計。

強： 一九七〇年第一批香港「學生舞蹈團」在日本大阪萬國博覽會演出後，郭世毅帶領其中一部分舞蹈員在香港大會堂演出，當時他邀請內地的服裝設計師及電視台的舞美人才合作，例如當年負責很多大型的電視台舞美製作、首屈一指的鄭錦文。在劇場方面，有白賴恩．陶布力（Brian Tilbrook）設計佈景，與當年的外國劇團「Garrison Players」合作；盧景文差不多每年都會導演一套大型歌劇，他通常會親自設計佈景。

那時的其中一個轉變是業界對舞台設計更有要求，另一個轉變是開始引入外國的導演。「中英劇團」（中英）其中一名外籍導演高本納（Bernard Goss），是一個我非常尊敬的藝術家。他會盡量與本土藝術家合作，慢慢開始起用香港的年輕設計師。所以魯師傅是在剛好的時間點，進入香港職業化的舞台。

在七十年代末至八十年代初，政府大力發展藝術及文娛設施，除香港藝術節、亞洲藝術節及成立五大職業藝團外，也開始興建不少劇場，並極力支持在不同地區發展藝術，如第一屆荃灣藝術節……接下來成立的香港演藝學院(HKAPA)，擁有國際標準的劇場及完善的服裝、佈景及道具工場。

強：　八十年代時，他成立「魯氏製作」，那時候是無限公司。大家都知道魯師傅在火炭的那個工場有多小，我說：「你在那個旮旯怎樣畫呀？」然後他就帶我上天台，我心想：原來還可以在這個地方畫。我除了介紹一些防火漆、「gauze」，這些可以從英國訂回來的材料，告訴他哪裡可以買得到以外，我跟他說「長此下去也不是辦法」。然後他就考慮在火炭買另一個大一點的地方。那時候他資金有點問題，我也穿針引線，找一些人來幫助他，算作投資他的公司。就是從那時候開始才搬去另一個廠房。

但是還有一個問題，佈景愈來愈大，如果發生甚麼事，魯師傅需要承擔全部責任。「萬一你造景時有甚麼意外，而且你又有妻兒，不如把魯氏改作有限公司？」我介紹了一個會計師給他，直到現在，還在幫他打理帳目。也是從那時開始有一個大的製景地方，並將魯氏改成有限公司。

我們可以回看一九八六至八九年，這幾年是業界的成熟期，當時所有的職業團體已經可以獨當一面、吸引到觀眾，也可以做到大型節目，而政府場地也陸續開放。HKAPA的場地應該是在一九八六至八七年間正式啟用，而香港文化中心（文化中心）是在一九八九年啟用。那時候HKAPA畢業生受過比較有系統的訓練，首幾屆學生都是帶藝入學的，各有各的性格、長處，但是大家的共通點都是很熱愛舞台。HKAPA的場地設計非常好，也很正規。所以可以看到業界對舞台設計愈來愈有要求。

泰：　我是一九八五、八六年才認識魯師傅。當時我入讀HKAPA，我們的老師替「香港芭蕾舞團」（港芭）做舞台設計，我便有機會接觸魯師傅。其實那時候港芭很多的佈景都不在香港畫，是從海外買回來。可能後來發現成本太高或者有其他因素，他們就打算在香港找繪景師畫佈景。魯師傅應該是從那時候就開始繪景，這也是我接觸魯師傅的契機。

Tommy說得對，火炭工場的底層負責搭建佈景，而天台就是畫佈景的。那時候我覺得這一點很特別、很神奇。因為如果是在HKAPA學畫佈景，是把它掛起來豎著畫的，很容易就能看到全景，可以畫出那個感覺、那種透視的味道。但是魯師傅沒有辦法，他是把畫布攤開來在天台的地上畫，其實會難畫很多。但他做得很好，也符合到外國人的要求，因為芭蕾舞是西方藝術，那個感覺他掌握得很好、很漂亮。

其實他的美術底子非常強。如果KK不說，我都不知道他是自學的。在美術方面，他比較喜歡某些效果。如果魯師傅喜歡你的設計，那就甚麼都可以了。他會非常樂意做，很能幫忙表達出你想表達的東西。

後來到我真的擔任設計，而魯師傅負責造景，是一九八九年的《北京人》（圖二）。雖然我自己比較喜歡抽象的佈景，但這個作品剛好是一個寫實的傳統四合院設計。我記得我第一次在廠裡看見他的時候，他在一些綠色格子紙上面畫畫。我就問他「為甚麼你要自己畫？」，他就說，「那些設計師不懂得造景。他們只是負責畫出來，但如果跟著那些圖紙是做不了的。」那時候我們做佈景，就很隨便地畫，那時木板是四呎乘以八呎，但是我們畫出來有時候會比八呎多一點點，或者四呎多一點，他就說，「你這樣就很難做。你為甚麼不畫四呎乘以八呎，這樣就可以生產得快一點。」所以其實他會重新畫一個結構圖，才可以給師傅去做，全部都是魯師傅自己畫的。

那時候我發現，結構很重要。雖然我們在HKAPA讀書時也會讀到結構，但是讀與做是兩回事。你把畫在紙上的東西生產出來，是比較難的。魯師傅要駕馭生產、製作的部分，譬如搬出搬入，他自己的工場也有空間限制，所以大的佈景他會拆開，但是拆散又裝嵌的工夫其實非常龐大。他就自己負責全盤想好。

泰： 接下來的十年裡我們有很多接觸，他替我們做了十幾個舞台佈景。我喜歡不同的美術風格，有時候會用水彩畫表達，有時候用水墨畫。例如《北京人》的設計非常寫實，他也做得很好，很有寫實的功力。後來一九九〇年的《七十二家房客》（圖三），戲的背景是在廣州，不過我們想有一點香港味道。當時有一些香港藝術家，用比較隨意的水彩（筆觸）畫香港的景色，但是水彩畫的畫法不容易，而魯師傅當時也畫得很有味道。我記得十多年後，有一次他跟我說，「我很喜歡你那個《七十二家房客》，很有寫生的感覺。」我覺得他有偏好某一種美術表達。

後來我們也有嘗試其他東西。譬如《原野》的整個大背景都是水墨畫（圖四），魯師傅也是把它攤開在地上畫，他也成功做到，那種水墨的感覺很好。就是一直這樣合作。後來他就去了內地設廠。

正如KK說，在內地設廠不容易，他是「開荒牛」（開拓探索的人）。從香港搬到內地，那個廠房也不小。那時候我們也有做一些商業項目，譬如節日裝飾。有一次我們做聖誕節的裝飾，要做一百隻類似《胡桃夾子》（*The Nutcracker*）的那種士兵，也是找魯師傅。有時候我們有預算限制，他也能想到方法，在有限預算內做到一樣的美術效果。那時候就是在劇場、節日裝飾這幾方面合作。後來我看到他也開始製作商場裝飾，譬如海港城海運中心的聖誕、新年的裝飾，到後期還有一些機動的裝置。

我很記得他造的旋轉舞台。旋轉舞台在舞台劇裡很重要，但當時只有HKAPA曾經在歌劇院使用旋轉舞台。從那時候開始，魯師傅會自己造一些機械裝置，譬如機動轉台。演出之後，他會保存這些機動裝置，因為在香港不是每個藝團都有錢可以造一個機動舞台，日後如果有些劇團有需要，他就會拿出來，讓（這些劇團）以更相宜的價錢使用。所以他不僅是做純美術的佈景——無論是寫實還是抽象的畫作，到後來機械的部件，他都能駕馭，很難得。

潘： KK提到魯師傅自學美術，那剛剛提到的機械裝置，他是不是也是自學的？

泰：　我相信是的。如果如KK所言，他來到香港才第一次做佈景，他要自己負責裝砌、製作、搬運等的工作，後來香港的舞台慢慢做到機動的技術，我不知道他用甚麼方法去學，但是魯師傅就是做到了。總之你有需要，他就可以做到。

江：　剛剛Eric（陳興泰）和Tommy提到有一點非常重要：他對你們的設計非常投入。如果他喜歡這個設計，他不會考慮錢的問題，而是會想要用甚麼方法做到最好的效果。我覺得這個是以前的製景公司所缺少的，你交一幅圖給他們，他們就去做，很少會這樣投入、和你商量、和你一起去做。魯師傅是整個佈景設計的一部分，這就是他的特質。

泰：　對的，他非常享受其中。我有時候看見他搭好佈景後，會在觀眾席看著。他很享受一起看著那些成果，這是件很令人高興的事情。

江：　是的，他不是完成任務後，等收工、等拆景，他很享受自己的工作、享受你的設計，甚至是演出的效果。我覺得這就是魯師傅令大家如此難忘的重要因素。

強：　有時候對於一些年青的設計師，魯師傅會經常給予意見。不過，他提點完，通常成本就變更貴了。不過他也不管，會幫忙完成製作。其實以做生意來說，多畫幾筆他就少賺了嘛，但他也不是做生意的，他喜歡就會幫你去做。

江：　他的性格便是這樣，全情投入。

潘：　同意。這是台前幕後這麼多人都很懷念魯師傅的一個重要原因。我聽到有一點是三位都有提到的：只要魯師傅喜歡就可以了。我很想大家分享一下，以你們的認識，魯師傅喜歡怎樣的合作伙伴呢？要具備哪些元素才會令魯師傅欣賞、而很投入地幫他的呢？

江： 他不喜歡整天重複自己的人。他喜歡有創意、有才華、有要求的人，而他自己也是個有要求的人。這就是他的特點，也是他能夠在香港舞台界如此傑出、而三十多年來無人能超越的非常重要的地方。當然，生意人也要賺錢、生存，但這不是他的宗旨。他的宗旨是欣賞自己的工作，大家也欣賞、一起開心合作，這個是很重要的。以我對他的了解，他喜歡的很簡單，就是看作品，不是看甜言蜜語。

強： 一九八六至八九年期間，我是城市當代舞蹈團（CCDC）的技術總監，所以當時很多大型製作都會找魯師傅合作。他的優勢是能夠滿足有些外國編導比較意念式的設計。CCDC的每一個作品都有不同的要求，但同時每一次也需要用上很精細的手工。我每次帶外國設計師或者編舞到魯師傅的工場，他們都會驚訝得「嘩！」一聲。那時候我們開始多請了外國的設計師、編舞，有時候有些編舞的設計只是留在意念的層面。當那些設計師和編舞對於怎樣轉化那些意念為實物抱有懷疑時，我都會說「魯師傅一定做得到」。

當時香港舞台的發展趨勢，是開始請來更多國際知名的設計師。我替CCDC所做的最後一個演出，是一九九一年在HKAPA演出的《九歌》。我們請了房國彥做佈景設計、林克華做燈光設計、譚盾作曲。樂池上擺了一些爛地，如同凹凸不平的山坡（圖五），供譚盾演出。《九歌》有一個很厲害的佈景，是一個有不規則形狀的大鐵閘（圖六），需要與台上的另一半佈景合起來，接駁起來要完全沒有裂縫，我也不知道魯師傅他是怎樣完成的。我們試過計算，要承重多少公斤之類。隨著音樂演進，上半部那個重四五百公斤的裝置平穩地嵌入到下半部的佈景，真的是剛剛好，一條縫隙都沒有，非常令人難忘。魯師傅太厲害了，他的技巧究竟是怎樣來的？後來很多有大型佈景，需要舞蹈員在舞台上來回走動的演出，全部製作連機動部件都是他自己想的。

潘：　這個與KK說的也有呼應，當那個設計很有創意、很有挑戰性的時候，魯師傅就會想盡辦法去完成。

江：　他喜歡挑戰自己。

強：　房國彥到現在還會對我稱讚那次演出。從我認識魯師傅到大約一九八九年，他可以在短短十年之內，達到我在外國看見的佈景標準。

江：　還有他很厲害的，是知道可以從哪裡找到人幫忙，做到他自己做不到的東西。他第一個達到國際好評的佈景《小狐狸》（*The Little Foxes*）（圖七），是楊世彭的製作。這個設計從美國拿回來，很懷舊、很寫實、很洋化。裡面最有難度的，是牆上有很多古典的人像油畫。那時候魯師傅找了我師父，請了他畫所有的油畫。楊世彭後來說，那個美國設計師寫了一封信，感謝他可以在香港做出了比想像中還要好的佈景。這點可以看出魯師傅知人善任。除了他自己會想盡辦法之外，如果他做不到，他會去找合適的人來達到他的要求。

強：　隨著文化中心啟用，我看到魯師傅的製作與國際的標準接軌，連國際上有名的設計師也非常佩服魯師傅。但是我想不到，他可以在如此短時間之內就做到了。真的是愈挑戰他，他愈興奮。

江：　說到國際這方面，我覺得如果少了魯師傅在深圳的廠房這個背景，香港暫時還沒有那樣的條件做出那樣水準的佈景。

強：　我在英國國家劇院（National Theatre）跟隨當時的技術總監Tony Bond工作後，再於一九九一至一九九四年去紐約進修，回港後任香港藝術節的製作經理，然後再出任港芭的技術總監。當時，魯師傅負責製作由白奕泱（Brian Bartle）設計的《吉賽爾》（*Giselle*）佈景，我是燈光設計，很驚訝他的製作水平又上一層樓了。當我在港芭擔任技術總監時，我有很多大型佈景也是與魯師傅合作。

強： 當年魯師傅在實景製作方面已經達到國際水平，但在畫軟景方面，因他沒有合適的製作地方，他在火炭天台，畫多幕芭蕾舞軟景時或會受天雨影響進度，舞團承受不了這種不確定性，便請澳洲Scenic Studio繪景。當年港芭的藝術總監謝傑斐（Stephen Jefferies）在皇家芭蕾舞團（Royal Ballet）出身，他請了國際知名的舞美設計大師彼得．科曼（Peter Farmer）擔任《吉賽爾》和《胡桃夾子》的佈景設計、娜汀．貝利斯（Nadine Baylis）為《小飛俠》（*Peter Pan*）設計佈景和服裝等，那時候魯師傅的實景與軟景已經配合得天衣無縫，得到各設計師的讚賞。

當年各藝團都有不少來自內地的藝術家，港芭一九九七年的《末代皇帝》，便邀請了內地知名的舞台設計師劉元聲及服裝設計師王臨友參與，我就負責燈光與效果。

佈景有七塊可以用摩打轉動的大型轉景屏幕，其中三塊有三米寬、六米高，旁邊四塊有二米四寬、六米高。劉元聲用兩幅噴墨畫，貼在一條一條的像百葉窗的兩邊，你可以想像要求是多麼高。那麼我就問魯師傅：「你能做到多少毫米的差距？一毫米可以嗎？」他說：「我盡量幫你做到看不見縫隙！」最終真的看不見一點縫隙，我至今還不知道他是怎樣做到的。而那個演出其實還要去巡演，要到紐約城市中心（New York City Center）演出，於是難度更大。我就告訴魯師傅這個佈景和機器也要一同運去，他也做到。

潘： 我也發現，魯師傅很喜歡研究這些難題。如果你給他一個難題，他就會拼命去想辦法解決。對於燈光來說，即使有一毫米差距也會影響效果嗎？

強： 不是。因為整幅畫是噴畫，會影響了舞美的設計。完成之後，劉元聲也舉起拇指讚好。所以魯師傅覺得愈是有挑戰的，他就會做得特別起勁。他可以駕馭各種不同的要求，無論是現代的，還是傳統、古典的，是一個非常難得的人才。

潘： 不如Eric也分享一下？

泰：　我也同意。如果魯師傅喜歡你，製作會比較容易一點。我們做設計也是一樣，如果你遇到一個導演喜歡你，那麼你的壓力也少一點。大家在合作上，也盡量不會浪費錢，尺寸上也會遷就他，他會知道你要的感覺是怎樣，然後表達出來。

當時他搬了去內地製景，早上在廠房，晚上就回香港。我們做設計的時候，有時候晚上十點、十一點，會拿一個模型到他家，他太太和女兒都在家，我們就在那裡砌模型，告訴他「我們想這樣那樣」，他就在那個時間收集好資料，然後到內地生產。我們經常嘗試新事物，魯師傅也願意嘗試新事物，這是他的一個特質。其實做劇場真的很不容易，因為有很多人很有想法，但是有想法就有難度。

再者，魯師傅不是只做一個佈景，他的工作排到密密麻麻。而且現實上，無論是地方還是人才，香港也沒有太多製景公司，能夠做到魯師傅的手藝。所以導致很多大型佈景，都要找魯師傅做。他在內地的廠裡有一塊板，寫著哪天要裝車出貨，很密集。有時候我們在廠裡處理佈景，到了晚上魯師傅說「我要走了」，其實他是要去另一個地方繼續造景。所以他真的很辛苦，要跑很多地方。有時候，如果遇上颱風，佈景運下來又會延遲，導致後面的步驟也要延後。做製作真的很不容易，營運時可能會出現突發事情，需要顧及員工的情況，又要滿足美術要求，而且很多時候能夠裝嵌佈景的時間很短，要麼就是要通宵工作，但是通宵完可能第二日又要去搭建第二個舞台。所以其實是不容易的事。

江：　據我所知，魯師傅基本上不會放假。他太太經常叫他去旅行，結果只有女兒和太太自己去。我經常叫他來紐約探望我，玩一下，他都很少來。他非常忙，根本沒有時間去旅行。他很全心全意地投入工作，所以香港舞台界現在才會有這麼多人來記念他。

潘：　是的，他對事情非常上心。

江：　他沒有空閒時間。有一次我去深圳探望他，他想請我吃飯，最後也是請廠長來帶我，他說：「對不起對不起，我走不開。」我很明白，是他的性格令到他如此投入，他完全就是舞台的一分子，而不是在做生意。可見這個人是多麼難得。

潘：　其實當時魯師傅把廠房搬去深圳是一個很大的舉動，也冒了很大風險，對於製作或者設計上也有很多影響，或者Tommy可以講一下他搬去深圳的前因後果？大家也可以分享一下，這個搬遷對於大家的設計以及香港舞台製作的影響。

強：　一九九七年，我從新加坡回來負責《雪狼湖》的燈光設計，何應豐任佈景設計，奚仲文是藝術指導，而魯師傅負責製作佈景。當時《雪狼湖》的佈景非常轟動，我從來沒有設計過像香港體育館這麼大的舞台的燈，前台由一邊橫跨到另一邊。而後面整個佈景，全是反光的鏡面，都是由魯師傅製作的。我們當時用了十日裝台，為了趕及開幕，其實有四五日我們是通宵達旦、日以繼夜、不停地做佈景與燈光。《雪狼湖》一共做了四十多場，其實開幕後數天還在繼續改良佈景。魯師傅精益求精，很仔細的地方都要修正。因為奚仲文與葉錦添都有「電影眼光」，斟酌得非常仔細，我說「不用近看佈景的啊」，但魯師傅也照做。所以我覺得在舞台劇的歷史上，可以說這個製作水平是非常高的。

然後在《雪狼湖》之後，一九九九年適逢深圳改革開放二十周年、中國成立五十周年，所以很多地方都要做大型節目，節目在深圳上演之後要再去北京演出。有個作品叫《深圳故事．追求》，我做舞台設計和燈光。當觀眾進場，他們會看到一個14米乘以六米多的建築工地網，把整個舞台遮蔽，然後幕布中間可以分開，背後是工廠大廈的佈景。這個佈景有兩大塊裝置，每塊有六米多高、七米多寬，可以在舞台上自由移動。這個佈景非常大型，一共有十多個場景，那些裝置需要換來換去。我們曾經討論過是否用遙控來控制，不過因為太重，而且那時的遙控技術還未成熟，最後和魯師傅討論過後，決定用人手來換景。

政府要求我們三個月前就準備好佈景，讓演員去練習。沒理由香港深圳兩邊運來運去，我就對魯師傅說：「深圳的地租便宜，不如你找個地方做廠房吧？」現在的佈景愈來愈大，而且香港沒有一個大的廠房。還有一個原因是深圳的人工、運輸費用比較低。所以他決定在深圳設廠，找了一個廠長幫他的忙。

當時還是借地方去造《深圳故事．追求》的佈景，還沒有把廠買下來，但是他已經在設計廠房了。我看過他的草圖，那個設計圖包括了宿舍，可以讓工人來住；因為需要繪景，要在高的地方才能看到全貌，那他說「好呀」，所以他把他的辦公室設計在樓上，可以看到全景。他在設計廠房時已經很興奮。

後來《深圳故事．追求》去北京演出，獲得了數個「文華獎」，其中一個是舞美，也贏了「五個一工程」獎。很多人都疑惑，佈景是誰做的？內地舞台界從此知道香港有一個這麼好的製景師，甚至可以說是一個很好的舞美人才。所以後來很多內地的名導演，尤其是廣東那邊的，還有些商場或者主題公園的項目也會找魯師傅。所以當魯師傅有了廠房之後就不只接香港的工作，也開展了內地的市場。後來在深圳訓練了一些徒弟，也在深圳或者內陸城市找到一些佈景廠房。有很多內地的藝術家也同樣懷念魯師傅，覺得他是一個內地的人才，不過在香港打出一片天地，是個對香港舞台界有很大幫助的奇才，失去了他也是一個很大的損失。

泰： 他的美術修養和知識是……就是他的徒弟也做不到我們的要求，這是一個關鍵。所以為甚麼一些木工或者熟悉結構的工匠，也未必可以勝任舞台製作，因為舞台是比較強調美術要求。所以魯師傅的存在是很難得的。

潘： 像Eric所說的，我很相信有很多魯師傅的徒弟或者與他合作的人，會一直傳承他教的東西，會繼續為這個舞台貢獻。

關於廠房搬去深圳，對於設計或者製作的影響，還有沒有補充？

江： 我說說自己的個人經驗。我本來是同時在設計和製作方面工作的，但是一九八三年的時候我去了德國看「斯圖加特芭蕾舞團」(Stuttgart Ballet) 的舞台製作。看完之後，我就決定不再做舞台製作了。因為他們的設備、空間和規模……那個程度是我們不可能做到的，更不用說他們僅僅是一個藝團。就算以魯師傅深圳廠房現在的規模，也是不可能的。這已經令我放棄了製作，還是做設計算了。

香港有這麼多藝團、商業或者藝術的製作，他們有這麼多佈景製作的要求，如果有一個佈景製作的地方，可以不停地租給各個團體使用……雖然HKAPA的舞台設計也教佈景製作，那邊的環境也很好，但是當學生畢業之後，沒有人(有空間) 可以繼續做。我覺得以後就算魯師傅的廠房繼續發展，也將會愈來愈大，他的女兒和女婿也想繼續做下去。但是如果說幾十年、幾百年，不可能繼續只是依賴魯師傅一個廠房做下去，而是需要一個政府機構……對於文化藝術活動的支持，應該要有這樣的一個地方。

對於政府來說，這個製景工場其實不需佔用太大地方，可以設置在郊區。但是這個地方，需要符合Tommy說的國際要求，可以讓製景師將佈景板豎著作畫，可以風雨無阻、四季都開放。這個對於香港藝術、文化發展，長遠而言是很重要的。現在說得難聽一點，比較像臨時工。雖然口頭說是專業，但根據德國那個芭蕾舞團的標準，我們根本只是業餘。哪怕那些外國人看到魯師傅的廠房——已經是全香港最大的廠房——但他們也會說：「怎麼會是這樣子？」這需要考慮到數十年甚至數百年的需求，要令到製作更加完美，就要有這樣一個場所，我覺得舞台工作者應該向政府提出這個要求。

強： 我很有同感。在一九八九年，我們成立了香港舞台技術及設計人員協會(HKATTS)，有二十多位成員，那時候成立這個協會主要是想與國際接軌，因為我們看見外國與香港在條件上的分別。我們最初是做三件事：第一是統一舞台術語，因為在中、港、台，同一個英文術語會翻譯出三種不同說法；第二是希望倡議政府做一些幫助舞台專業化發展的措施，譬如舉辦國際會議，鼓勵技術和舞美上的進步，與時代接軌。那時候我們開始有了這麼多表演場地，但是負責製作的工場是不足夠的，不僅僅是製作佈景，還有服裝、道具等。為甚麼沒有這樣製景的地方？其實有很多片場是空置的。我們不應該只靠魯師傅一個人，這是不健康的，應該要有好多好多個「魯師傅」……還有很多東西要追上，更不要說那些更先進的技術，譬如自動化或者「AR」（擴增實境），我們究竟達到哪個水平呢？其實不僅是劇場界，粵劇界也會去魯師傅的廠房綵排。但是為甚麼我們要跨境去綵排？所以KK提的這一點，我真的很有同感。

泰： 這個就真的很難解決了。魯師傅在內地廠房很自豪的一點，是他可以把整個佈景搭出來讓人去綵排。當時剛好有一個比較新派的粵劇作品，也是在廠房搭建好佈景，就在那裡綵排了。因為香港的入台日程太緊張，入台後根本沒有時間綵排，馬上就要演出了。所以當時演員在深圳就可以試試整個空間的感覺。當年魯師傅這一點構思是非常好的。

強： 但是在香港是沒有可能做到的。當時「雛鳳鳴劇團」是去了廠裡綵排，演員在那邊住兩三天。但問題是，為甚麼我們要去深圳呢？我們香港自己的製作場地在哪裡呢？

泰： 其實很難。大部分本地團體雖然有受到資助，但是資金大多沒有涵蓋製作費用。其實魯師傅是一間公司，做了很多事情。之前說到，魯師傅有很多徒弟，他們也是做佈景。但是如果是大型佈景和有美術要求的，其實也是沒有辦法離開魯師傅的，這是他的強項。不過他的徒弟也有一些離開了，或者不在香港。所以魯師傅離開之後，（對於滿足本地製作要求）也有一點壓力的。我當然希望他的女兒和女婿可以繼續這個事業，但是本地團體對於佈景製作的需求大。香港有這麼多的藝團，但是製作佈景公司就只有兩三間，其實是消化不了的。

（圖一）香港舞蹈團《岳飛》（1986）長二十米的書法布幕

（圖二）香港話劇團《北京人》（1989）

（圖三）香港話劇團《七十二家房客》（1990）

（圖四）中天製作有限公司《原野》（1994）

（圖五）城市當代舞蹈團《九歌》（1991）樂池

（圖六）城市當代舞蹈團《九歌》（1991）

（圖七）香港話劇團《小狐狸》（1985）

（從左起）賴妙芝、余振球、李衛民、徐碩朋

發揮香港精神：魯師傅與創意追求

日期：二〇二一年五月二日

時間：下午一時至五時

地點：香港藝術中心壽臣劇院

訪問：陳國慧（陳）

分享：余振球（球）、李衛民（民）、賴妙芝（芝）、徐碩朋（朋）（按發言序）

整理：葉懿雯

陳：　想問大家和魯師傅第一個合作的演出是甚麼？經驗是怎樣的？如果忘記了，就請與我們分享最難忘的一次經驗。

球：　我真的不太記得了。有印象的有很多，其中一個比較特別的是《喜尾注》。當我提出想把舞台設計成一個公事包時，所有人連導演都說沒可能。我說，不要說做不了，先去問問魯師傅。和魯師傅合作有一個好處，你可能想到一個方法，但他可以提議一個更好的方法給你，不會只跟我說做不到。那時我到了太子一間茶餐廳，讓魯師傅看看設計圖，他嗯了一聲，討論了一些方法，就做成了（圖一）。

民：　可否說明一下那個公事包打開的原理？是吊著兩條「wire」揭開，還是有其他機械結構？

芝：　你和魯師傅想的方法是否相同？

球：　不一樣，魯師傅的方法可行得多，我的方法比較天馬行空。他利用槓桿原理，再配合阿Bee（溫迪倫）的燈光，觀眾便看不到佈景裡那條槓桿。

朋：　Yoki（賴妙芝）你第一次和魯師傅的合作是甚麼時候？

芝：　我之前在「中英劇團」（中英）擔任駐團設計師，當時中英未曾找過魯師傅製作佈景，而是找阿都（都國強），所以我一直都是和阿都合作。我在中英工作了一段時間後，到了美國一段長時間，期間我回港設計《你咪理，我愛你，死未！》的佈景，找了魯師傅造景。最深刻的，是地板上色情況不太理想，當時我和大佬明（張向明）看到，我還未說些甚麼，大佬明已經說「不行」，魯師傅便說當晚會重新髹油一次。其實我的設計很簡單，是黑白灰的幾何圖案。我當時心裡想「又要重新髹油一次、又要重新定點」。這就是我和魯師傅第一次的合作。

朋： 我最早認識魯師傅，是二〇〇〇年我剛畢業的時候，那時在學校進行畢業製作，曾文通來問我，說有人請他做一個演出的舞台設計，但他沒有空，問我有沒有興趣接下那份工作。那個演出是陳慧寫的《拾香紀》，由「三角關係」製作，導演是馬志豪，他想找一個香港演藝學院（HKAPA）畢業的設計師來擔任舞台設計。當時我很苦惱要找誰來幫忙製景，因為知道導演是個有要求的人，最後導演介紹了魯師傅，說現在很多佈景都是請他幫忙，於是我便認識了魯師傅。

我覺得魯師傅口才了得，很懂得和設計師溝通，他首先會給予對方信心，告訴你他的製作「好得」（很棒）、你的設計「好得」。我聽說過不少人都說，魯師傅會稱讚他們的設計圖畫得很好，很快就讓設計師如沐春風，但內心也會懷疑是否真的有他說得那麼好。而魯師傅和市場上其他師傅相比，他精通木工、美工、金工、電工，也很願意動腦筋，經常說給他一點時間來想辦法，好像和你下棋一樣。我覺得他主要不是為賺錢而做，而和他討論就可以學會各方面的事情，這讓我想起《風雲》裡的雄霸，精通劍、拳、掌、腿。

球： 我覺得魯師傅是一個藝術家，不是一個工匠。如果他覺得你對那件事上心，他也會對那件事上心。如果他在傾談的過程中，發現你純粹只是想他減價，他就會和你算錢。例如他和何偉龍簡直是「糖黐豆」（關係非常好），可見當他很敬重那個人對藝術的心時，他即使虧本也會幫忙，是一種藝術家的態度。

民： 這就是為甚麼我說身為設計師，不可偷懶，一定要好好準備，給他最好的模型、設計圖，或者「rendering」（效果圖）也好，他看到就會很開心，著眼於欣賞你的作品，思考怎樣幫你實現，才去談價錢。有些時候，他發現預算不足，便會打電話給你，再商量價錢，但他是因為欣賞你的作品，而下定決心要幫忙。

我和他算是很熟的朋友，我當他是位前輩、朋友。我看到他和黃錦江的訪問，得知他從在上海開始，便是個很開放、願意接觸新事物的人。他很年輕的時候就已經接觸攝影，我很驚訝，不曾想過他會拿著一部數碼相機。我發覺他在接觸新事物方面很前衛，這很重要，因為身為傳統製景師，如他對於新的技術、方法抱持比較開放的態度，便會運用新的方法幫你解決問題。

芝： 我覺得魯師傅某程度上都很想做設計，他透過幫助設計師實現設計，一方面成全了我們，同時也滿足了自己。

陳： Yoki你剛才說，因為在中英工作的關係，早年未曾與魯師傅合作。以你的經驗，魯師傅和其他師傅製作的佈景，有甚麼不同？大家都說，他擅長美工等各種技能，像是全能一樣，其他製景公司是否都有這樣的支援？和他們合作的經驗是怎樣的？

芝： 以我的印象，魯師傅最擅長的是機動裝置，牽涉機動裝置的佈景找魯師傅會較穩妥。美工方面，他擅長做殘舊、「污糟邋遢」、亂糟糟的佈景，相反阿都是做不到的，他的佈景像是展覽般乾淨。我那次做《留守太平間》的設計，碎石的部件他做的沒有魯師傅的好，阿都做的佈景乾淨、漂亮、精確，（佈景裡的）床位做得很漂亮，但平心而論，那些碎石真的是魯師傅會做得比較好。但如果要做很乾淨的東西，就千萬不要找他。

有一次合作做《大龍鳳》的佈景，本以為貼牆紙會比上油漆更容易，怎知道成品出來更糟糕。另外又想營造窗邊下雨的效果（圖二），不知他加了甚麼化學劑，使雨水盡量沿著窗邊落下，在廠內看效果不錯，但到港後發現全部玻璃都污漬處處。導演問我可否換掉那些玻璃，我說換不了，他們不願意換給我，使得我很尷尬。

朋： 讀書時，我還未認識魯師傅，何應豐老師已經教導我們，日後設計佈景時，要留意有些佈景是香港的師傅做不到的，要遷就一下。我覺得這是個問題，會限制了我們的創意。後來我「不信邪」，便出事了。現在到我教書，我也是這樣教導學生，說要留意製景師傅的技術如何，如果師傅做不到，便要另想辦法。正因如此，設計師會喜歡設計簡單框架，簡單得不可能出錯。有甚麼是不會出錯的？就是例如用物料原本的顏色，不用上色，便可辦妥。當然，這是無可奈何的做法。

民： 所以我經過多年身為設計師去和製景師傅合作的經驗，覺得設計師必須清楚製景師的能力、長處和風格。因為常與何應豐合作的原因，已經練就了魯師傅的美工，令他較擅長製作粗質感的佈景。我想，Yoki有較多經驗，例如另一位製景師傅時常說魯師傅不懂得「跣灰」（編按：在物件表面塗抹一層物料，填補牆面不平）、不懂得做滑面，這是因為魯師傅他們平時根本不會這樣做，不用把平面變成滑面。可能我有所領悟，而這也恰巧能配合演出風格，所以我會順著他這個長處來設計，多用富質感的佈景。

球： 當時「香港話劇團」（話劇團）剛成立，香港沒有人專門製景，只有一班從事粵劇製作的師傅，我便請廣叔（陳廣）他們幫忙，那時我還是ASM，經常到他們位於洪水橋的工場。他們因為一直從事粵劇製作，所以製作中國風格的東西很了得，亦擅長繪製大畫。

球：　後來到魯師傅，他製作中國風格的東西也很了得，例如大型的四合院，當然他那時時間充裕，可以慢慢揣摩製作。後來，陳廣退休，香港有一段頗長的時間只有魯師傅一間製景公司，大大小小的藝團都找他製景，他的工作愈來愈多，非常忙碌，而且持續擴張，於是水準參差不齊。

後來有人找展覽界的人製景，例如阿都等人，找他們製景有一個好處：製作豪宅佈景非常漂亮，但要製作較多質感的便做不了，所以在香港的限制下，真的很需要按照佈景的風格來選擇適當的人製作。

朋：　我很懷念以前讀HKAPA的時候，例如我設計的佈景有很多樹，讀繪景的同學便會拿著設計圖，研究如何細分、繪畫那些樹，我覺得這種研發過程非常好。現在有些師傅覺得照著設計圖來畫就可以，但其實不是，因為當中需要一道「氣」，這難以解釋，是靈光，是風格。

如果告訴魯師傅要畫樹，他會知道要畫哪一種，是中式還是西式，因為他有較多經驗。他請來的美工主管李師傅（李茂善）最擅長於此，那麼你就知道要把設計圖交給美工主管，若一不小心廠房主管徐師傅（徐連平）交給了美工的第二把交椅，事情便會走樣，變成第三種東西。所以我要確保，美工要交給李師傅，木工要交給某個師傅，一定要說清楚交託的對象，否則他們太多工作，同時有四、五組人運作，由哪一組接下工作也會影響佈景的質素，必須清楚交託，方便日後管理。

看著魯師傅建立廠房，我經常想找一些書，說明怎樣建立一間工場，怎樣管理得更好、如何計算時間的流程、工場是怎樣分佈、如何掌握相關的電腦技術等。當年魯師傅用手畫圖，徐師傅則肯學用「AutoCAD」繪圖工具，不少設計師都有教過他、提點他一些技巧，例如如何以正確比例列印「shop drawings」（編按：本文所提及的各類「drawings」均指施工圖）。因為現在大家都習慣看列印出來的版本，如果比例不對便糟糕了，而且現在有太多部門分工，不知道哪一份才是最終版本。

民：　我不完全是讀藝術出身，早年讀科學，會較專注技術方面的問題。所以我和魯師傅合作，會先思考背後的結構，才和他商量，但後來我發覺這個方法有時並不可行，因為他有自己的工作方法。技術方面可以先交給他計劃，我反而要做一幅完整的設計圖，或是精美的模型，這是很重要的。向導演展示佈景設計時，無需分享「technical drawings」，但每次找魯師傅討論之前，我也不敢不先畫好設計圖，否則他會指出錯處，覺得設計未如理想。

朋：　我覺得設計師和魯師傅基於美學來溝通會比較好。以前在HKAPA學習繪圖時，老師教我們要畫好想要的設計，「shop drawings」——即是背後的圖則，就交給技術人員幫你畫。畢業後，再沒有這種支援，怎樣好呢？當我有一個想法，便會約魯師傅出來，問他那些設計在現實中是否可行，這樣才可以討論下去。

民：　我聽陳興泰說，早年的設計師只做了模型，未必有TM幫忙畫圖，魯師傅便會用麥克筆在方格紙上重新畫一次施工圖（圖三）。我不知道他所受的相關訓練如何，但他的師傅會看著他重新演繹的「shop drawings」來工作。現在有很多公司會幫忙畫圖，要小心的是現在會直接把設計師的圖給師傅看，這就視乎設計師的功力如何，如果師傅們能夠明白，便能節省時間，可直接把那份圖當成「build drawings」。

朋：　但我覺得不是這樣的，畫設計圖是一個藝術創作。

民：　我明白，我不是說不要藝術創作的部分，藝術創作的部分固然重要，但是和魯師傅溝通，你要有好的模型來打動他、打動導演，來表達你的藝術。對魯師傅來說，有好的「shop drawings」，讓他能清楚掌握設計，理順工序過程，是重要的。

當然現在這個世代不是這回事了，有了電腦，就是另一種流程，例如現在徐師傅他們也直接跟我要用「AutoCAD」畫的圖。但有時我在「AutoCAD」裡，只是放大某些部分，如果他們不明白當中的竅門，便會錯誤理解設計，那就是另一個問題了。

民： 說到美工，我習慣至少到廠房檢視一次，並和師傅溝通。此外，因為我經常兼任燈光設計，沒有空在現場執修佈景，所以必須確保佈景是完全按照模型來製作，最後就不用再修改。再者，我的佈景多是富質感的東西，沒有滑面，避免需要在現場執修。

那些師傅，特別是魯師傅，非常不喜歡你自己執修佈景，覺得你好像不給他們面子，而且他的師傅大多想迅速搭好佈景便離開，所以我會作出遷就，調節佈景效果，並且運用燈光盡量隱藏瑕疵，使得他們不用在現場執修。不過最重要還是要把事前工夫做好，事先到廠房和李師傅溝通清楚做法，只要他能夠大概領悟，佈景到港時便不用執修。

朋： 我就會盡量抽時間觀察師傅的製作。到了午飯時間，我有時候會不和魯師傅外出吃飯，改到員工飯堂，和師傅一起吃飯。他們就覺得奇怪，為甚麼設計師不跟老闆吃飯。我說我喜歡跟他們吃飯，開始和他們聊天，佈景做出來的效果會比較好。後來，他們一看到我來就打招呼，把我當作是朋友，也覺得我尊重、重視他們的工作，便會認為這位設計師的東西不能敷衍了事。

芝： 我想回應先前Allan（徐碩朋）說樹的那件事，我覺得魯師傅對於樹有獨特的見解。記得《紅色的天空》的演出，需要在葵青劇院的台上放一棵很大的樹，魯師傅一聽到要造樹，便說自己最拿手，問要甚麼樹，我說是榕樹，他便細說榕樹的特點，請我放心，說他一定會做得很漂亮。我說好，因為那棵樹在演出最後有特別的意思，象徵了生命的延續（圖四）。

平常入台時未必會看到他出現，但那次他到了現場，不斷在我面前炫耀自己製作的樹。那棵樹的確做得很真實，他很開心，說自己很久沒有造這樣一棵像真的樹，因為平常的樹大多只是景片的部分，而那個演出則是特別以一棵榕樹作為佈景。我很記得他當時的雀躍和喜悅，很像小朋友般興奮地與你分享他的成果。

陳： 大家覺得劇院和製景工場的關係，例如劇院有駐場劇團的安排，對於香港整體舞台或是佈景設計和製作的長遠發展，有甚麼影響？

球： 有一段時間，香港文化中心（文化中心）七樓是魯師傅的倉庫，只要大劇院有演出，魯師傅就會在七樓製景，那是件好事來的。其實當初設計大劇院時，便預留了七樓作為製景工場，那是外國劇院的設計意念。工場旁邊有「貨粒」（載貨升降機），佈景完成後便可移到舞台綵排、演出。但香港除了地產霸權的問題，還要面對從事劇場管理的人的思維，慢慢地那裡變成了一個倉庫，能否使用全看管理人員的決定。

民： 當我們現在討論新的劇院場地，即是Richard（李永昌）諮議的康樂及文化事務署（康文署）設施，也希望可以有同樣設施支援同樣的功能。

球： 如果這類設施可予我們實際使用，便可以部分解決我剛才所說的問題。

民： 他們還有一個更進一步的想法：佈景在樓上製作搭建，綵排也在同一個地方進行，即是同一個地方可以連接到排練室，大型佈景或道具可以直接在同一個屋簷下製作。

芝： 這個想法很奢侈。

民： 外國也是這樣做的，我到Royal Sussex Theatre，或是威爾斯國家歌劇院（Welsh National Opera）的Cardiff Theatrical Services也是這樣做的。我們經常說「one-to-one」，即是一個表演空間有一個一比一的排練空間，然後旁側的製景工場可以同時支援，佈景製作後可以搬往排練室，綵排後便可搬至舞台。

民：　但香港有土地問題，上次看到某個即將興建的場地平面圖，排練室被安排在地牢，地牢又需要遷就升降機的大小，而升降機門非常細小，我說佈景沒有可能順利搬進升降機。有這樣大的排練空間，但沒有足夠寬闊的門口，不能順利進出佈景，豈不是要先拆散佈景，搬進升降機，再在台上重新組裝，監製便要付兩次搭建佈景的費用。建築師沒有想到這些實際的運作。

球：　你說的意念很宏大，但我比較實際地去想，如果每一個劇團都有一個小型劇院，不需要全部都是大劇院……我在歐洲看到很多劇團有自己的劇院，大約可容納二、三百個觀眾，劇團便可在劇院舞台上搭建佈景、排練和演出，在同一個空間進行所有的步驟，準備時間佔三、四個月，演出可持續十年。

陳：　想再追問有關文化中心七樓的問題，例如在HKAPA是在一邊完成佈景，便可搬到另一邊入台。這樣理想的訓練環境，與現實的落差，可以如何過渡？

朋：　落差非常大，我當年在HKAPA讀書時有兩個星期入台，結果我們習慣了每天可以慢慢搭建、調整佈景，畢業後發現原來現實裡的入台時間比讀書時少了三分二，只有四天半的時間，佈景預算上也是，當要重新適應時便很痛苦。而如果製景師傅不熟悉演出場地，便可能會出現各種狀況。魯師傅則很熟悉各個場地，知道竅門，節省了預算、時間。

另一個要轉換的，是我們的「technical drawings」或「shop drawings」全都用英文書寫，內地的師傅看不懂，所以我要先找到各項詞彙的中文翻譯，例如「section drawings」（側面圖）的中文是甚麼，還要用簡體字寫，他們才能看明白。我們也要知道工場的運作，不然會有很大的問題。由畢業到入行，有好幾個月的時間都在適應這些事情，但要一步到位，因為出錯的話，便會影響劇團的演出，那是很大的壓力。所以現在教書的時候，會和學生坦白香港的實際環境。

民：　回到劇院和製景工場關係的問題，我覺得重點不在於劇團的「駐場計劃」，而在於劇場的基礎設施，以及當中運作生態的建立。現在的情況比較好，例如有Richard在，興建新劇院時會有較多溝通，建築師在設計時會諮詢業界，會知道我們是怎樣運作，知道我們只有四天半的時間入台準備演出。

芝：　我覺得藝團有自己的劇場固然好，但在人才方面，未必是我們想像中般容易。香港有木工師傅，但愈來愈少，燒鐵師傅就更少。難道要請內地師傅來港工作？即使香港有製景工場，可以聘請哪些人來從事製景呢？我看不到HKAPA會培訓這些人才。

朋：　其實這是個循環的關係，我曾經想像過，如果我們沒有內地這個選擇：魯師傅無法在內地設廠，只能在香港這個地方製景，那自然會衍生相應的調整，因為需要一定預算才能製作佈景，便會把人工等成本寫進去。但現在有「到內地設廠更便宜」的糖衣毒藥，吸引你到內地製景，當中其實犧牲了藝術質素、創作過程裡可以進步的空間。

為甚麼以前HKAPA所有學習繪景的學生，畢業後不會從事製景？當中有些曾經受魯師傅邀請到內地短暫工作，但沒有太多人願意，因為廠房遠。也因為內地師傅的人工較便宜，就是這個不公平的競爭，使得原本可以發展的藝術家沒有辦法投身舞台製作的行業。我看妹尾河童的書，在日本，他們研發很多不同的工場，有不同的藝術家用心製作精緻的佈景，用心在於他們的訓練，知道那個美學的要求，而他們會因為尊重工藝而願意付出相應的金錢。

其實我們以前一直都在妥協——因為價錢便宜而妥協，覺得都是一堆顏色，印出來很容易，便抹殺了本來可以有機會發展的藝術家，使他們轉投其他行業。

民：　我想回應Allan，說說這個藝術生態的問題。身為設計師其實不應該管理預算，應該由製作經理負責，但不知道是不是因為我不太幸運，每次監製都會和我討論預算。因為佈景佔了預算中最大的部分，所以當監製發現預算不足時，便會請我想辦法修改佈景來遷就。財政負擔的問題很多時候都出在佈景方面。

朋：　這是另一個看法。

球：　我不贊成這個看法。

民：　我當然不贊成這個看法，只是說出現實情況，面對預算不足時，有一個方法是減低人工，另一個方法是減低製作費用。反覆刪減變動佈景設計，需要和魯師傅討論如何運用一個較便宜的方法做到想要的藝術效果，要依靠他玉成其事。

朋：　這就是為甚麼我很喜歡和魯師傅討論的原因，我不是說他特意調低價錢的做法，而是他會和你討論有甚麼較便宜的方法可以做到同樣效果。後來魯師傅會跟我說，可以不賺錢替我造景。當然我沒有「灣仔劇團」的待遇，不能一通電話就能成事，但我有次一級的待遇，魯師傅願意不賺錢幫忙，我就需要提出一個他不用虧本的設計方案，當然首要是他願意降低價錢，第二是要想出較聰明的處理方法，例如同期會否有其他劇團在做相類的裝置、中間會否有空檔可以儲存某些東西。這些事情都可以這樣計劃，你要認識同期其他演出在做甚麼，與他們分享物料等，又例如預先和各個師傅溝通好，打通每個環節，安排整個日程表。

設計師不是不需要理會預算，反而是要管理這個設計的製作過程。這是為甚麼我不喜歡聘請某些公司擔任製作的原因，因為他們會很機械式地和你算錢，魯師傅則會和你從美學上討論，他就好像是在「蘇富比」裡舉手投標的人，他願意按照你的價值投資你。我覺得這是很好的。此外，我很幸運，他看得起我，他會勸說我不要再接那麼多舞台工作，說賺不到錢，然後再介紹工作給我。有時他接到商業演出，會問我有沒有興趣幫忙設計，我有幫過他一、兩次，人工很高，我很感激他。佈景設計師人工低是行業的悲哀，這是另一個問題。我時常笑稱魯師傅是「ADC」（香港藝術發展局，簡稱藝發局），甚至是在投資藝術，他是投資在人身上，他聘請過很多人。

陳： 另外兩位對「設計管理」（design management）有甚麼意見？

球： 我認同Allan的看法。可能我現在經常有多重身分，身為設計師，是應該和監製討論預算。當設計超出預算，設計師需要想辦法降低製作費用，但又不可以在沒有預算下設計任何東西。

民： 但現在藝發局和所有受資助劇團……不包括九大藝團，每次演出的製作預算都非常少。

球： 這是另一個話題，資助機構批出多少預算給劇團是社會問題，但資助機構撥款後，如何分配是監製的問題，分得佈景製作費用後，如何設計佈景便是設計師的問題。

民： 知道佈景製作費用後，設計師還有權拒絕這份工作。

球： 對，是可以拒絕，但如果接下工作，被告知只有五萬元的預算，設計師就不能設計出15萬預算的佈景。

民： 現在設計管理面對的問題，是人的成本、物料愈來愈貴，但整體預算沒有增加，使得可以設計的內容開始受到擠壓。我愈來愈懷念魯師傅，不是我們不去管理預算，而是他容許我們有較大的空間遊走。現在我遇到有些製景師，運輸、入景、拆景等的人工已經要兩萬多，但我整個製作預算只有三、四萬，扣除人工後已所餘無幾。

陳： Yoki，你所屬劇團的狀況會否比較好？

芝： 其實在外國的經驗會使我回頭反思香港的情況。首先，我覺得設計師真的需要管理很多東西，需要「睇餸食飯」、需要很有智慧地處理很多問題，當然預算不足時，便要想辦法用較便宜的方法去做。佈景有主有次，在「主菜」上投放較多資源，再去篩選「配菜」，我們會與導演溝通，提議不同方法來處理，例如未必一定要製作實物，可以用燈光處理，呈現空間。

朋： 現在我教舞台設計，有些學生不認識魯師傅或其他製景師傅，但他們也經常參與不同劇團的製作。當他們聽到有三千元預算時，會很驚訝有這麼多，因為他們平常靠著合力拼湊出來，也可能只有一千元，畢業後給他們一萬元預算就開心得不得了。我發現原來他們的製作預算很低，所以每當一個概念不可行，便會衍生另一個概念，反而擴闊了想像。我們就是被某些約定俗成的東西規限了，反而不懂。

當你甚麼都不懂的時候，自然就會衍生另一套方法，那套方法有時反而是很驚人的。所以我們要先學會打破概念，遊走在不同的概念之間，不然的話，我們會很痛苦。這當然絕對不是說香港的空間沒有問題，這是另一件事。我覺得要分開來說，不能說「既然你們這樣低的預算也可成事，以後便可給予更低的預算」，不是這樣的。但在教學上、討論上，我們要有這個概念，不要混淆。

球： 所以我提到，究竟將來這些資源會怎樣（安排）？說到資助機構、舞台空間、舞台設計時，回到最終的問題就是：究竟我們想怎樣發展香港劇場？香港應該要百花齊放，所以西九文化區（西九）、東九文化中心等場地可以走大型製作路線，旁邊再興建工場專責製作這些大型佈景；也要有一些在香港藝術中心（藝術中心）等地方上演的中小型製作。

還有一個因素：我們是否仍要在一星期內，完成由入台至演出的工作呢？如果政府部門、文化機構，甚至是劇團都受制於這個思維模式，是不可能製作大型演出的，一來預算不足，二來很浪費資源。外國劇團來港看到大型演出，覺得很驚人，驚嘆這樣宏偉的佈景只會用一個星期，心裡應該是在驚訝竟可如此浪費。他們只上演一星期的演出，就只有一個手提箱、四張椅子的道具，不會製作佈景。

所以香港的情況有時候是有點畸形的，如果我們真的做大型製作，便需要給予劇團三個月的時間，但現在不可以，無論怎樣計算，假設一星期做六個場次，每張票三百元，即使全場滿座，也未能收回成本。

陳： Yoki對於阿球（余振球）說的外國劇團的做法，對比香港畸形的情況，有甚麼看法和觀察？

芝： 我反而覺得香港人有種特性，是很容易適應環境。外國有外國的制度，因為他們發展多年，制度完善。而香港的背後有內地便宜的資源，好像促成了很多東西，又好像剝削了很多東西，例如培育人才的限制，因為無論如何，我們的人工怎樣也不及他們便宜，要有很大的取捨。但在這個環境下，便孕育出我們這一班特別有智慧的設計師。要有這樣的才能，才能在這個舞台劇界生存下去，即是既可以做到較低預算的設計，也可以管理較高預算的設計。我覺得設計師最重要的工作，是如何幫助把故事呈現出來。

朋： 我覺得有一個概念很重要，無論行內行外的人，經常會以實物多寡來衡量一個佈景的價值，這是一個錯誤的概念，是「佈景設計」這個名稱誤導了觀眾。久而久之，有個惡性循環，就是每次我們都要浪費東西才算是做了佈景，為做而做。而外國的製作其實可以到佈景倉庫組合新的東西。如果我用三百元設計了一個看起來像是花了三十萬的佈景，那差額是否應該歸我所有？如果看到設計師沒有花費甚麼金錢，是因為他用智慧和能力為製作節省了十多萬，預算就是這樣來的，不是視乎有沒有畫過設計圖。

朋：　我跟我的學生說，稱呼我們這個課程為「佈景設計」是錯誤的，因為叫「set design」，大家就覺得要設計具體的東西，但我說這其實是「performance space design」（演出空間設計），是要設計「空的空間」讓演員表演、是要拿走不必要的東西，但很多時候大家本末倒置，批評說這次的設計沒有「set」……

民：　因為現在「劇場」的概念還持有爭論，尤其甚麼是劇場、是不是在舞台上演出才是劇場、究竟舞台設計和「scenic design」（佈景設計）有甚麼關係等。我覺得視乎你怎樣說，你可以說你是設計佈景，或是設計空間。而我同時做燈光和佈景設計，近年我甚至兼任影像設計，其實也是在處理空間，甚至會說我們是在設計「舞台美學」，幫助導演決定視覺美學，已經不再是在討論有形還是無形的東西。

朋：　其實我覺得這不是個爭論，只不過是把定義拉闊，因為佈景設計是一種實然的存在，是很理性、客觀地形容「set design」，在慢慢發展的過程裡，我們發現演出裡有一個「空間」，而不是傳統上只有一個「佈景」存在。其實傳統裡也有，東方美學一向都是在「空的空間」裡表演，有一個意象，所以這是混和、擴闊了大家的概念，理解、包容了所有東西，有「set」無「set」都可以是「performing space design」，所以這不太存在爭論，只不過是著眼於那東西不同層次的存在，是擴闊了、推動了大家在創作時有更多的思考。

芝：　我覺得設計師是同時和導演一起商量怎樣呈現故事，不是表面看到的實體那樣簡單，而是背後大家一起決定呈現的方式，不是只由設計師一人決定。所以可能空間裡沒有太多實物，但重要的是演員怎樣運用這個空間，最終是一個團體合作的作品。

朋：　香港人很喜歡嘲笑一些設計師的設計好像沒有甚麼東西，我不知道是不是我們或東方人看事物的方式，習慣以實物來界定東西，不會從抽象的概念來看待事物，不會說這個概念很厲害、很值錢。但又好像不是，我們有時候又會覺得一些抽象概念很值錢，例如股票市場。

球：　即使是抽象概念，但他們都要很實際地看到價錢的昂貴。

民：　好像「買磚頭」的情意結。

芝：　其實我們很欣賞彼得．布魯克（Peter Brook），我曾經和他的設計師尚—居．勒加（Jean-Guy Lecat）一起參與一些工作坊，他們的想法就是要為了那個戲劇而設計，而不是為了要做些甚麼實物出來，他們覺得那個空間最重要，這是很基本的。

球：　我試過有一次在給資助機構的預算上寫「舞台製作：$0」，第二天我便收到電話，他（資助機構工作人員）問是否真的不需要錢，我說「是」。他追問是否沒有舞台設計的崗位，我說「不，擔任舞台設計的是我，導演也是我」。他再確定是否不用錢做舞台設計，我說「是，因為是音樂劇，演員多，其他方面的支出很大，所以佈景不用製作費」，他繼續追問「那豈不是空台？」，我說「不是，會有東西的」。我前後收到三次電話：數天後，他又打來，因為他的上司想知道那會是甚麼樣的佈景，他很苦惱要怎樣交代，最後我只能和他的總經理說，請他相信我，我一定會有東西給他看到的，結果就是一架用椅子組裝成的坦克車（圖五）。

我一開始就計劃從學校裡運來一些桌椅，由舞台監督隊負責組裝，運輸費等算到其他項目裡。我的重點是，即使是資助機構、政府部門都會有這種思維，覺得舞台設計不用花錢便有問題，覺得你沒有進行設計，就有問題。

民：　我覺得政府或是擁有基礎設施的人，西九也好，康文署也好，他們都不知道自己擁有最多的資源就是他們的舞台空間。現在每次演出的場地只能使用一個星期，平均每場演出需要花費很多的人力資源，成本效益是很低的。我覺得，不能延長演期而使得演出收支平衡，是現有制度中最大的限制。

球：　現在已有進步，「場地伙伴計劃」提供了稍微長一點的演期，但也未必有足夠的觀眾。我們曾經嘗試向康文署爭取上演兩個星期，他們便質問我們有沒有足夠的觀眾。就好像是，如果你去爭取兩個星期的演期，他們口頭上不會不答應，但他們要你確定自己有足夠的觀眾，才會給予你兩星期的演期。其實如果我沒有足夠的觀眾，我便會虧本，但那只是我的事，我也會付清兩星期的場租，他們是沒有損失的。不過，他們就是會問你。

朋：　我在想像如果魯師傅沒有到內地設廠會怎麼樣。第一，我想像到魯師傅會多了時間和我們交流，告訴他哪些東西很老土，可以怎樣改善。同時，他有很多厲害的地方，例如製作中國式、上海式的佈景，他會倒過來教導我們。

第二，他對新科技很有興趣，大家都知道他看到便會買來試，如果他的廠房在香港，他便會想辦法運用新的技術來突破空間限制。

第三，魯師傅是香港少數會看演出的製景師傅，你給他門票，他便會來看，甚至會帶上太太一起來看演出。有時候會有演後交流，他從而知道那些設計是怎樣在舞台上呈現，認識到如何更有效地製作佈景，知道有甚麼東西可以簡化，並可以由觀眾的角度回饋給你。

第四，平時他會討論技術。我覺得一開始討論，首先要思考美學，想達到甚麼效果，這是要和導演討論的，因為導演也在轉化那個演出風格是甚麼，而設計師要提供空間，告訴他可以有甚麼「blocking」（演員走位），那是可以討論得很仔細的，例如在哪裡走動等。有時候要做「rehearsal set」（綵排用佈景）來排戲，期間可以找魯師傅幫忙，有「R&D」（Research and Development，研發過程），試完再調整設計，當然香港沒有太多劇團可以有「rehearsal set」。

直至現在，我做了那麼多台設計，最喜歡的場地便是和「前進進戲劇工作坊」的牛棚劇場合作，可以在排戲的時候試驗。阿釗（陳炳釗）會請我嘗試拼砌佈景，排了半小時，覺得不太對，再請我另拼一個，然後我們就在觀眾席上看演員演一次。因為演出也在同一個地方，所以試驗成果將會成真，感覺很放心。因此我說可以在劇院裡排戲，是最開心的事。

民： 我經常說，擁有資源的人沒有一個宏圖去開放這些資源。「公平使用原則」是一個問題，香港主要的劇院大多是由康文署擁有，很多中、小學都會使用，曾聽過沙田大會堂的技術人員投訴，場地好像酒店一樣，一天有上、中、下三場活動，上午、中午各有一個畢業禮，因為政策規定，場地使用率需要高於某一個百分比，管理人員要寫報告匯報，但這個公平使用原則間接扼殺了藝術團體。

球： 所以要想有甚麼方法可以讓整個空間都給予一個劇團使用呢？就好像牛棚劇場一樣，不是錢的問題，而是有甚麼方法可以運用這個空間。即使不用商業模式來運作，很多年前說要興建西九，各大地產商四出訪問研究，也諮詢過我們。我們到了長江集團中心頂樓與他們開會，我提議一方面興建可容納幾千至一萬名觀眾的大劇院，另一方面興建一條街，例如有十個舖位，每個劇團一個舖位，舖位前面是咖啡室，後面是可容納八十至一百名觀眾的小劇場，舖位由各個劇團自行營運，如此的話，我們便有空間。

民： 好像韓國的劇場區那樣。

球： 不只韓國，世界各地都有相類似的地方，但香港沒有，因為香港地價貴。

陳：　我們說了很多魯師傅的貢獻，也談了很多香港劇場的問題，讓我們談談未來。現在魯師傅已經不在，未來未必再有好像魯師傅那樣全才而又願意資助藝術的人，你們覺得未來需要怎樣的人繼續貢獻這個製景行業呢？

球：　我覺得不能把未來只依賴在一類人身上。魯師傅是在香港特有的環境裡培育出來的舞台工作者，而他又有自己的背景。其實要問的是香港未來的劇場環境會是怎樣，正如剛才所說，我們需要的，是每場演出都有三千名觀眾的大型製作，或者是很多的黑盒劇場，讓每個劇團都有自己的空間演出，慢慢浸淫，好像是韓國的劇場街，或其他世界各地的相類地方。

兩者是否可以並存，沒有衝突呢？究竟生態會是怎樣呢？這就會影響到我們的舞台美學。我相信我們的舞台美學，正如Yoki所說，甚麼都可以存在，香港的設計師很靈活、很聰明、很有智慧，有甚麼就做甚麼。無論是舞台設計師，還是燈光設計師，都擅長適應，只要給予空間、平台就可以了。未來不是一個人的問題。

芝：　我覺得魯師傅是個獨特的人才，他的出現使劇場有種精神，他某程度上有很多徒弟，培養了很多不同的師傅，從那些師傅身上也看到魯師傅做事的方法。我想，魯師傅給予了我們某方面的指引，將來無論有甚麼製景師傅，或新的人才踏足這一行也好，我們都有某些想法，希望可以達到魯師傅某些程度，或是在某方面可以比他做得更好，或者可以承傳他很靈活、有創意的長處。

民：　坦白說，現時活躍的師傅，或是說他徒弟的製景公司，正在營運的都有三、四間，但他們不可能和魯師傅一樣慷慨，這是社會經濟現實，也可能是因為魯師傅可以做一些賺錢的項目，譬如做海港城、香港迪士尼樂園（迪士尼）、香港海洋公園，而他可以用這方面賺來的錢用在同期的舞台製作上，不計較價錢比較低。在社會生態上，同樣都是在製作佈景，在香港這個環境能夠如此平衡是件好事，但這類情況絕對不多。你甚麼時候可以找到一間製景公司，同時做商業和舞台製作，又在舞台上做善事？他運用有錢的資源來間接資助文化團體，這實屬罕見。

芝：　我覺得因為疫情，香港多了很多本地的製作團隊，好像是劉媽媽（劉漢華），他都開始在香港製景，未必需要到內地或是找魯師傅。我覺得是因為疫情，或是因為知道魯師傅不在了，我們會思考如何處理這些事情，而又可以在預算不多的情況下，依然做到舞台佈景，我覺得這是健康的。

民：　其實都是空間問題。我們從來都沒有抗拒內地，只是不想千辛萬苦地坐車去看佈景。如果在香港找到地方，例如仿效以前的師傅，在很偏僻的地，例如上水某處農地，營運製景工場，又有相同的資源、同樣技術能力的人，我真的不介意請他們製景，這既可以方便我們，也可使得本土的師傅有所發展。

香港不是沒有製景師傅。迪士尼的佈景全部都在香港製作，只是那些佈景是另外一種類型，但技術同出一轍。我知道很多製景細緻的HKAPA學生，畢業後就去了迪士尼工作。我覺得迪士尼是脫離香港現實的地方，那裡跟隨美國標準，有另一套做事方式。

朋： 我覺得魯師傅某程度上是大時代的產物。他從上海來港，在七、八十年代的香港，只要敢於嘗試便有機會，魯師傅不是學做佈景出身，而是由當畫家開始，後來才對製景有興趣。其實只要對那件事情有興趣就可成事，當然七、八十年代有很多機會，有很多不同的人匯聚，但尚未有很多制度、學院，自然就會有人去生產這些結構，便形成了很多相類的故事。

我覺得，正如Yoki剛才所說，香港人很懂得變通，現在因為疫情的限制，或是經歷了多年的發展，始終有一些人喜歡舞台而又很明白這些限制。

至於說從商業項目賺錢再投放於藝術上，其實香港是有這些人，有些公司因為喜歡藝術而出錢投資，明知會虧蝕也要做，永遠都有這類人。魯師傅的獨特性不在這方面，而在於他很豪氣的感染力。他集合了那麼多的興趣，而又願意投資，我覺得他沒有虧本，而是他享受、覺得他的眼光值得投資在這裡。當他看到你做得很好，便覺得賺了。他不是要金錢的回報，他看到的是藝術作品的美學。很多人說他不怕「蝕底」（吃虧），但如果作品不行、他不喜歡，他也不會投資。

我覺得未來也會有這樣願意投資藝術的人出現，只不過魯師傅很獨特，既有他俠客豪氣的精神，也有他從內地來港的背景，我們未必這樣容易再找得到這樣的人。我是這樣猜想的，可能會有，我不知道，或者這種情況會出現在其他地方。

現在香港有不少師傅都跟隨過魯師傅工作，所以我在他們身上，看到以前魯師傅的作風，只是散落在不同人身上，而不是集合於一身。我覺得沒有可不可惜，無可無不可，只是我們現在值得回顧記錄，讓行內行外的人知道曾經出現過這樣一個人、有甚麼值得學習。魯師傅也有他的限制，剛才說了很多，例如如果他可以留在香港設廠，他定是有另一片天空的，一定會和很多不同的人研發到不同的東西，而且他會做得很好，甚至我們會多了時間交流。

（圖一）香港戲劇協會《喜尾注》（2004）的「公事包」佈景

（圖二）中英劇團《大龍鳳》（2016）中營造窗邊下雨的效果

（圖三）魯師傅批改施工圖

（圖四）中英劇團《紅色的天空》（2015）中的榕樹佈景

（圖五）劇場空間《布拉格 · 1968》（2015）中由椅子搭建成的「坦克車」

（從左起）張正和、邵偉敏、黃逸君、王梓駿

開拓北上空間：設計師與製景廠

日期：二〇二一年五月二日

時間：下午一時至三時

地點：香港藝術中心壽臣劇院

訪問：朱琼愛（朱）

分享：張正和（和）、邵偉敏（敏）、王梓駿（駿）、黃逸君（君）（按發言序）

整理：黎茜妍

朱：　談談你們第一個跟魯師傅合作的作品，或者你們覺得最難忘的作品是哪一個？

和：　第一個跟魯師傅合作的作品，是一個和「香港芭蕾舞團」（港芭）合作的學校功課。我們五位同學替港芭做一個有教育性質的表演，大家各自設計一部分，包括製景，而當時嚫仔（徐子宜）就找了魯師傅製景。這個經驗挺有趣，因為平常是找學校裡的「carpenter」製景，所以那是第一次真正接觸到外面的製景師傅。

但是那個難忘的經歷就不太與製景有關。因為魯師傅很客氣，他常常會請我們吃飯。他帶我們五位同學和廠裡的部門主管吃上海菜，當時很開心，覺得那一頓飯很美味。加上當時有其他師傅在場，令我們覺得自己作為設計師這個崗位很重要。

敏：　第一個合作的話，我不肯定是不是何應豐的作品「青年戲劇家系列」《如廁》。而第一次認識魯師傅，是接近我在香港演藝學院（HKAPA）畢業、參與《雪狼湖》重演的時候，當時的經歷很難忘。其實《雪狼湖》並不算是我的設計，我是跟著其他老師做設計助手。那時是何應豐先生介紹我給魯師傅認識的。

我不太聽得懂魯師傅的口音，但當時在我的世界裡他的話語權很高，因為他是何應豐的好朋友，所以我很尊重他。剛開始時我很聽他的話，說改就改。之後最深刻的，是我第一次以設計師的身分參與製作，就是「香港話劇團」（話劇團）的《脫皮爸爸》，我可以挑選人負責造景，所以我很隆重地打電話給魯師傅，跟他說「我終於有機會做一齣話劇團的戲」。魯師傅很豪氣地說，無論如何，價錢再低，他都會幫我。

因為這是我第一次在話劇團做製作，魯師傅這一番話，令我非常感動。選擇魯師傅造景的其中一個原因，是因為那齣戲有很多細節，加上場景裡有一間陋室，所以有特別多要上色的部分（圖一）。而當時來說，我覺得魯師傅在上色和美工方面的手藝非常出色，例如某些演出設計了一些很原始的東西，如大樹、山石、山水等等，又可能是要畫水墨畫，他都能做到。魯師傅在這方面非常專業，加上他是一個很喜歡畫畫的人，所以他在這方面的知識比我多，可以給予很正確的意見。那次之後，如果我負責的演出有佈景需要，我都會儘量找魯師傅的廠房，因為他們很可靠，而且魯師傅會提供指導。

駿：　我第一個與魯師傅合作的演出應該是替余振球做《唯獨祢是王》的設計，當時最深刻的經歷是要和寶哥（邱應寶）一起去內地的製景廠。那時很緊張，因為當時的交通不太方便，就用了最迂迴的方法：首先去羅湖商業城乘坐巴士，之後找小巴去觀瀾汽車站——那裡叫「人才市場」，下車後再乘坐計程車去目的地，一共用了一小時三十分鐘左右。大概是12年前，當時物價還是很便宜，吃飯只需花兩元。

而跟魯師傅合作印象最深的作品，不是我自己設計的，而是魯師傅自己投標的香港海洋公園（海洋公園）「哈囉喂全日祭」的項目「厲鬼村」，他找了我畫設計圖，頗有趣的。還記得當時他到處和別人說請了我畫圖，不過其實我還未決定要不要答應，因為要畫接近一百幅。最有趣的是第一次要在廠裡「跟景」，因為知道中標後，只有一星期時間去完成，根本沒有足夠時間回家畫稿，甚至連給海洋公園批稿的時間都不夠。當時很趕急，設計圖出了之後就要很快完成，要馬上直接動工、回廠跟進。當時在廠房附近的吉盛酒店住了兩個星期，所以對他廠房的運作認識很深（圖二）。

君：　我忘了和魯師傅第一次的合作是甚麼時候，印象中好像是跟著HKAPA的師兄做一個兒童合唱團的節目。但我已完全忘記對那個節目的印象了，只是記得當時的製景廠四周都是破地，所以可能和Isaac（王梓駿）剛才提及的年代有點相近，不過當時已經可以一程車直達廠房。很記得對製景廠的第一個印象，是有一個很大的標語寫著「浪費材料可恥」。師兄帶我到廠裡主要是為景片拍照作紀錄，但那時我根本把這當成了旅行，所以我沿途去廠房都拍了很多照片。當時那間廠房很小，還未擴建。

最難忘的作品應該是《俏紅娘》和澳門文化中心《我要高八度》的演出，因為當時我和廠房各自都很忙，加上我生病住院了，出院後只剩下兩星期的時間去完成。雖然後來才知道這是正常的期限，但當時就覺得好緊張，不知如何是好。當時畫一張圖就交一張圖，我記得交了一個模型，魯師傅看到很喜歡。因為他非常喜歡模型，他看到就會很興奮，他說那模型很漂亮，會把它做得好好的。

之後他說「這個製作是你的爆發點」，然後我笑言如果他趕不及完成我就真的會「爆發」。我記得因為我真的很緊張，而且我當時有很多錯漏，經常很緊張地打電話問他有沒有收到設計圖。當時的通訊沒有現在這麼方便，沒有微信，要打長途電話，所以那次合作是最難忘的。我覺得他那次的成品做得很好，因為要髹油很多東西，很驚訝他可以在短時間內做出這麼好的成品。我忽然明白了畫圖、模型做得好對製作是有很大影響的。

敏：　我記得《雪狼湖》是二〇〇五年在香港體育館（紅館）重演，製作很大型，而那時是主力要走巡迴演出的。當時我第一次要負責這麼多事情，討論佈景的時候，魯師傅會特地拜訪何應豐的家，一起討論。對我來說他們兩個都好像是大師傅一般，所以當時我就像侍應般接待他們，負責「斟茶遞水」（端茶倒水）。

而《雪狼湖》的製作費很多，何應豐和魯師傅討論的時候會把建議拋來拋去，我就負責把他們的話抄下來然後化為現實，連砌模型都是很趕急的。那些模型很大，大到要魯師傅去何應豐的家親自拿回來，而當時的佈景有二十多米，每件成品都很大，又有很多機動裝置。因為我們平常很少會做1:25的模型，而那個年代要根據紅館的大小來做這個尺寸的模型，魯師傅就不斷在機動層面上給很多意見。當時我是第一次認識這些事物，那時有水幕投影、霧化效果，才知道原來魯師傅的廠房可以做到這麼多的裝置，覺得好敬佩。

那時經常要去廠房跟進場景。當時有一批香港和內地的演員一同到來，我們一起住在吉盛酒店，所有人待場景搭到有一定程度才離開。然後魯師傅很豪氣，堅持大家要住在一起，因為那個佈景設計得太好，一定要演員一起來踏一下台板。

駿： 即是踩一踩台、轉一轉台，和在高空的位置走一次，看看會否太高，或者是否需要多搭一些樓梯。

敏： 平時這些待遇應該是地位較高的人要求才有，但魯師傅會自己提出。所有人會花上幾天時間在廠房的佈景裡一起排戲，排戲的時候整間廠房就會停工，因為如果不停工就會很臭、很嘈吵、很烏煙瘴氣，所以整間廠房的東西就會調出去，又或者會停工給我們在裡面排戲。當下我就感受到他的豪氣，不過之後已經很少會這樣安排，可能是因為太忙。

而因為我們當時要巡演，所以那些機動裝置全部都是自備的，又要跟一些演員配合，所以就要花時間在廠房裡面試排，還要測試時間、是否需要延長音樂等等。其實也挺好笑的，因為你還沒入台，但是已經要達到入台的那個狀態。

和： 這種試台我也嘗試過一次，是小表演來的，我要做一個鐵架，然後將演員綁在上面，之後還要將他翻滾(圖三)。我很害怕，因為這是我第一次做這種事情，所以我就要求，問問可不可以帶演員上去試台。前幾天碰到那個演員，跟他聊天，大家都很記得我們到廠房試那鐵架，那時其實有很多這些機會讓我們去嘗試。

敏： 以前也會叫人到內地試台，但這種習慣在最近十年裡漸漸消失了。

和： 可能是以前到內地的成本沒有這麼高，現在的成本大了。

敏： 加上魯師傅也參與很多商業的製作，他之後的發展應該也不只在舞台這裡。以前他主力發展舞台佈景時，有些劇團有空便會到廠裡試台。

和： 現在沒有辦法停了整個廠房讓我們去試台，如果正在做其他大型項目，突然間要停工就很「大件事」(嚴重)。

君： 試過有一次我擔任《梁祝下世傳奇》的助理佈景設計，很緊張，因為那時候的佈景又是快要趕不及完成，所以要親自到廠房看有沒有做錯，而第二天就要裝車，基本上要連夜開工，所以我就在吉盛酒店過了一晚。當然其實我實際上應該只是逗留了兩小時左右，因為之後魯師傅他們就要去食飯。還記得酒店裡有家叫玫瑰園的西餐廳，有時如果設計上的細節談不攏的話，魯師傅就會叫我們一起去餐廳吃個飯。

敏： 所以往後我們很多時候都會避開他們的吃飯時間，或是很早去、不然就先吃飯。有時候在某一個時段，可能我在和魯師傅見面時會見到你，然後晚一點就會見到另一個人，大家的時間會重疊，很不方便。

和： 但對於設計師來說要全部人聚在一起似乎是很難的事，因為我們設計師做事是很獨立的，很少會有聚會，吃飯應該是唯一大家可以聊天或者聚在一起的時候。

敏：　我覺得最好笑的是「輪診」(輪候診症)。甚麼是「輪診」呢，因為我們通常要請魯師傅為佈景報價，我們每個人都拿著一份報價表，會在香港或是魯師傅家附近輪流找他報價。報完價我們就要落實，但落實之前我們就要先和徐師傅（徐連平）討論。那個「輪診」的時間，通常都是拿著一張設計圖，而那張圖基本上就可以解決價錢的問題。

和：　我也想分享在茶餐廳報價的事情。我印象好深刻，因為那時剛畢業出來工作，就看到魯師傅在茶餐廳那個位置流連，我們就在側旁的桌子等候，等其他人報完價之後就輪到我報價。我那時候也好緊張，設計圖要齊全，模型也要砌好，因為其他前輩都會坐在附近。

君：　還有他要先「審批」一次你的設計圖。就是指：其實你已經在圖上寫好了設計的細節，譬如說這個位置要上紅色，你在圖紙上寫了「紅色」，然後再說一次給他聽，但最後他也會在你的筆記旁邊再寫多一次「紅色」。他這個動作，其實是代表他「已經知悉」和確定那個報價中包含了這個細節。不然的話，他可能有時會忘記了，或者是文字太細他沒有留意到。

敏：　但是在茶餐廳裡面報價，如果我發現我後面還有其他人在等候，我會好害怕。因為我會說上兩小時，別人會怕了我，所以我會問魯師傅「我後面還有沒有人排隊？有的話不如跟他說，讓他晚一個小時再回來」。我們跟徐師傅講解完自己的圖，之後還要跟魯師傅再講一次，又是另一種勞累，因為徐師傅有他自己的想法，之後又要找另一個師傅來再說一次，有時候會「拗數」(爭論)，要互相配合。通常都是先去跟徐師傅討論，而魯師傅就會在旁周圍遊走，有時間才會看一下。

敏： 我記得那時很慘，你在報價的一天裡就會遇到四個設計師，可能說著說著就突然有人走過來叫我講快一點，因為我語速很慢，或是突然有個人說自己講話很快，不如讓他先說。我明明九點到茶餐廳，但到十一點還未說完，接著師傅們就已經要吃飯。吃完飯想再繼續說，然後又有另一個人來打岔，結果我到深夜才能走。很多類似的情況發生，那時候魯師傅都會安慰說「沒關係，慢慢來，先吃個飯」，但我早、午、晚飯都在那裡吃，才可以說完一件事。

君： 報價不用那麼久，我通常把細節全部寫在圖紙裡面，主要是因為我聽不懂師傅的口音，所以我有時候寫完會跟PM解釋，然後PM再轉達，又或者是魯師傅特地問我才跟他說。反正就是要避免直接跟他解釋那麼多，可能是因為他時常混雜些上海話。

和： 他說寧波話。

敏： 他們一說秘密或是罵你，又或者在說那些物料要多厚的時候就會用寧波話。我明明說要厚一點，但他又堅持要用薄的，然後他就突然間會說寧波話。

君： 對呀，然後就會一大堆人說寧波話，你就知道他們應該無視了你，又或是在爭論到底應該用甚麼材料。魯師傅的外語我都不太聽得懂，有時都是用猜的，他說完一句我就會說「是是是，是這個」，但其實我不知道他在問甚麼。我只會把重要的東西多圈起來幾次讓他看，然後就繼續說下一張圖，所以我通常都要PM跟著來開會，不然就好像是對牆說話般。不過後期聽多了，就開始聽得懂，之後都有嘗試自己報價，但我最害怕的是徐師傅打電話來問我問題，因為我試過幾次他打電話給我，說了幾次我都聽不懂他在說甚麼，我就決定不斷重複重要的資訊。

敏： 所以後來有微信後真的很方便，因為可以畫圖。

君：　是呀，有一次他打電話給我，而我不知道他在問甚麼，所以我就隨便回答一些資訊，例如地板是三米乘以六米，牆是九米。然後我就打電話給PM，說「徐師傅打了電話給我，但我不知道他在問甚麼」。所以如果沒有其他人幫助，我沒法知道他在說甚麼。幸好之後用文字溝通，比較好一點，加上有微信就更好，可以要求他拍照等等。

敏：　對呀，所以去廠房的次數都少了。

朱：　除了以上這些有趣的片段以外，你們覺得魯師傅有沒有在設計上幫助到你們？例如執行等等方面，他有沒有給你們意見？

君：　我和他吃飯很少談論執行上的問題，通常會說其他話題。因為輪不到我們去決定那件事，主要是他與PM「拗數」，無論是錢還是技術上，對設計師而言，這方面我們比較「膚淺」，反正整體外觀不變就可以。反而和魯師傅吃飯會談論其他事情，他有時會分享他做舞台佈景之前的經歷，例如英女皇來訪為警察俱樂部建涼亭、和之前在尖沙咀賣熊貓畫之類的故事。我們很少在吃飯的時候談論演出的事情，反而不討論更好，如果有製作上的爭論，吃完飯「下火」（消氣）後就會同意對方的想法。

敏：　我記得早期的時候，當我做一些沒有百分百信心的設計時——當時是做《柯迪夫》，是我自畢業以來做的最大的一齣戲，我有一些設計概念，例如用上一些水管或是半透明的裝置。當我在想應該如何實現出來時，我真的會向魯師傅求救。因為我不太懂如何做出來，所以我只是向他講述一個很抽象的想法、畫一個大概的概念圖、拿著一些物料問他可以如何做，甚至給他一些不太可能的物料，而魯師傅也很樂於幫我嘗試，我真的很感動。

敏：　雖然我們和魯師傅他們的年齡差距很大，但他們的經驗很豐富。他們會仿製外國的設計，也會在設計上提供意見、給予我們一個很好的嘗試平台，而又真的能成功做到，所以我很感激魯師傅的投入。往後未必每間廠都會這樣做，老實說，他們做生意是沒必要幫你嘗試的，要嘗試也應該是自己嘗試，試不到是自己的事。但魯師傅他們就是願意提供這些機會，所以我很懷念。

駿：　不知是否因為我們是比較後期才出來工作的設計師，我們第一次去廠房，吃完飯後就和徐師傅討論佈景的事宜，所以我接觸得比較多的是徐師傅。魯師傅不會跟徐師傅談報價的事。他們很獨立，審批和製造是分開兩個部門。

敏：　所以這就是為甚麼我要「捉」（抓）著魯師傅報價。有時大家吃飯會很尷尬，就是徐師傅說要把我的設計減價地做，但是魯師傅答應過會盡量幫我，那些時候我和徐師傅都會板著臉。所以坦白說，我不是太喜歡吃這些飯。可能你的PM會幫你商議好某些設計地方，但我不是，我所有設計都要親自和魯師傅溝通，所以我們吃飯時的氣氛是很僵的。

駿：　我剛開始的時候都是默默承受（這些議價的過程），不當一回事，但之後發現是很不值的，責備他一下情況會好一點。因為他很有趣，好像當時做《我和青天有個秘密》（圖四），明明他們把一些部件裝反了，但因為要盡快做完趕人離開，他就說沒有裝反。那次是我第一次怪責他，發現是值得的。其他師傅知道不妥，到最後還是要做。雖然魯師傅堅持「是對的」，還不斷推開我說「沒有錯」。不過魯師傅很快就「下火」了，也不記恨，所以一定要責備他，否則會很不值。

敏：　我跟魯師傅的關係比較溫馨一點。我當時常帶著我的兒子去廠房，我記得有一次我要跟魯師傅討論工作，需要廠的會計同事幫忙照顧我兒子，過了很久也沒有理會過兒子。下一次再去，發現魯師傅準備了玩具給他。之後魯師傅也有帶他的孫子孫女入台，整個台上都是小朋友，很開心、很溫馨的。

朱： 你們覺得香港現有演出場地的規劃，對你們的設計有甚麼影響？例如你有一個演出要在兩個不同場地上演，你在設計上會考慮甚麼因素？

君： 影響總是有的。場地大小、本身的設備，例如旋轉舞台，都會成為設計的考慮因素。但最主要還是要考慮觀眾和演區的關係。不過好像都沒有太影響設計風格，因為要做的都是要做。

和： 本身劇團挑選場地時都會考慮某些因素，如果需要大一點的空間可能會選擇葵青劇院、香港文化中心（文化中心）等的場地。如果要說，場地可能對魯師傅的影響大一點，例如上環文娛中心、西灣河文娛中心的場地需要使用街市的升降機搬運佈景，這對設計沒有太大的影響，但對於景片的分件就有影響，入景也需要分幾次，並和街市商戶爭相使用升降機。

君： 最大挑戰就是要考慮原來有些景片要拆得很細才能進入升降機，所以要時常考慮如何令物件再細小一點，加上搬運期間一定會有碰撞。

駿： 牛池灣文娛中心是最令人苦惱的場地，現在不可以用吊的方式搬運，要持有特定牌照的工程人員才可以使用吊掛。所以要人手搬上去，共有五層，加上某個彎位很難轉彎。

君： 不過就算沒有甚麼障礙的場地如文化中心大劇院，車子都很難駛進去。不過這些執行上的處理我們可能不太清楚。

敏： 場地本來的規格已經是我們的限制，所以我們都是根據這些限制去設法使用。即使劇團的場地伙伴提供了一個很大的場地，但其實整個演出可能只需要台上一個極小的空間，那我們就要負責溝通。因為可能觀演距離是需要相隔很近的，所以我們通常都是做「downstage」的設計，可能一年內有一半時間都是「downstage」，或是就算有68條「bar」，也只用15條「bar」以內的位置。

和： 這些時候就可以找魯師傅，例如造薄一點的景，在有限的空間內使用。還有些場地規則，因為有限制所以也需要跟魯師傅溝通得很清楚，例如如何把十幾米大的景造得輕一點，所以當時是需要跟他不斷討論使用不同的物料。

敏： 最近有些場地規定場景內的燈不可以多於八盞，否則我們需要多聘請一人負責控制我們的燈，包括燈泡。現在多了很多奇妙的場地規則，有時候發現有新的規則就會很緊張，因為會涉及人手問題，可能要聘請多一個人工作三星期，而薪金支出又會增加。如果這個規則慢慢延展到其他場地，我覺得這個限制就太大了。對於很多突然出現的規則，我只是覺得不太合理，也想不明白為甚麼會有這樣的規則。例如場館與場館之間有各樣的地形，其實每一次設計都是一個挑戰。假設我要做某一個表演，或者我要在同一場地提供另一個觀感給觀眾，我都會很用心地去想。

君： 這個都是有趣的限制，這些「挑戰」本身並不是一個問題。我覺得場地最大的限制，是這些場地不是由劇團負責運作。現時的場地負責人就好像是校工，最好就不要改動任何東西，他只是管理該地方而已。劇團有自己的想法，所以如果是由劇團負責運作就會有另一種做法，例如現時有「場地伙伴計劃」已經很好，起碼他們能夠提出一些意見，令場館改進。但如果是直接由劇團運作，可能很多事情一早就可以做，例如一直都有演出會用到旋轉舞台，不如就直接在場地設一個，又例如某些位置長期都聽不到聲音，倒不如直接做些裝修，就不用每次都要改動。

最記得是在香港大會堂劇院的製作，每一次都要花三分一的開支去將兩旁木條的設計（編按：舞台兩旁的凹凸牆飾板）做「masking」（遮景）。後來話劇團成為場地伙伴後，我猜是因為他們知道每次都要花錢花工夫，所以就直接把它塗黑了（圖五）。因為有些改動是很明顯的，做完後每個表演都能得益。加上那個（電影）熒幕，一年都不知道會使用多少次，但就佔了最寶貴的位置。如果場地管理人員意識到這個場地都多是做戲劇的人租用，那就不如直接只做戲劇演出吧；這樣對長遠發展也有好處。

駿： 最好就不要有這麼多多用途的場地，例如有時候在音樂廳做一些很大型的佈景，都是一件讓人很煩惱的事情。因為那個環境本來就不是用來做這種演出，於是要處理更多的事情。

君： 我猜在音樂廳做演出，是因為沒有其他有空檔的場地，所以就只好用音樂廳。在不合適的地方做演出，的確很麻煩，會覺得很多工夫都只是花在彌補那場地的不足。我記得之前有一個重演的演出，有八成的佈景支出用了在「masking」上，當時我還在想，明明是重演，為甚麼搬到另一個場地會用多了一倍價錢？原來是因為那些錢要用來做「masking」。那就會覺得，為甚麼不能做些一勞永逸的裝修呢？這個限制不同於空間、或者是演員和觀眾之間的限制，而是它好像有很多先天缺失需要先作補足，再去使用，這些就是最令人煩惱、最困難的挑戰。

和： 有些表演場地不需要太有性格，沒有太多設計就最好。

君： 是的，因為對我們來說沒有意義，一個乾淨簡單的黑盒就已經很好、很足夠，設備不用太誇張，加上簡單的燈光就可以了。

朱： 你們有沒有試過用完一些佈景或裝置後留給下一個劇團使用？

敏： 是不可以的，場地不允許你留著。在演出後要搬走佈景，如果我不帶走也不可以留給別人，即使劇團之間關係多好，或者同一個劇團（在同一個場地）有下一個演出也是要搬走的，所以要不斷重複付出很多資源。這就會出現剛才說的那種情況，例如本來那地方是需要做「masking」的，也可以預測得到下個劇團會用得著，但用了三分一預算做的「masking」又不可以留給別人。

君： 對呀，所以其他人又要付出同一筆錢，每一次就不停消耗成本，所以有時候看到預算需要用這麼多錢，但其實有很多都是不必要的開支。最長遠來說還是要有劇團長駐在那個場地，連帶場地一同管理，就像話劇團的黑盒劇場。

朱： 你們覺得香港舞台設計在美學上有沒有甚麼特色？或者回看七八十年代至今，你們有沒有看到舞台美學上有一些轉變、特色或發展？

君： 我也不清楚，因為這本來也跟設計師的風格有關係，例如我做的設計，風格上通常都是較簡單，道具也較少。當然也有其他的考慮，例如有一些演出需要巡演，或者資源較少，的確也會影響到設計風格。以前有很多過百萬預算的大製作，但最近十、二十年都沒有太多，可能因為沒有那麼多投資者。而且我覺得設計師的取向也有轉變，例如我覺得那時候的設計師會多做一些寫實的佈景，像是將整個房子，甚至整個城寨搭出來，但現在就比較少。就算現在的演出要做一個房子，可能也會選擇用一些較簡約的方法去呈現，甚至可能劇團在風格上也不想要太過寫實。

和： 好像不能總結出一種特有的風格。但我覺得，以前的演出比較多西化的設計，希望把翻譯劇的原文本原汁原味地重現出來，所以我們的風格也會採用那個環境的感覺。但現在我們可能就會考慮多一點，例如那個故事能不能套用在香港或者是我們比較熟悉的環境裡，那麼可能我們處理佈景的東西就會有所不同。

敏： 還有，可能因為這兩年間有太多的不穩定性，所以都有影響。或者不是劇場的美學，可能是劇團與劇團之間也有一個趨勢：場景可以簡化到甚麼程度？就算是重用資源方面也有某程度上的難度。如設計師一直與同一劇團合作一年，那事情當然比較好辦，因為我們可以作內部調配或回收再造，可以看看怎樣用盡那些資源。但如果我做完這個劇團的一個演出後，再由別的設計師做之後的演出，那可能在風格上已經不是那麼容易配合了。說的是我用完那東西後，你是不是也剛好能用到呢？如果我把它拆了，拆掉後的部件也是另一種資源，然後還有消毒和清潔方面的工夫，這也是個困局。

君： 所以這些因素對設計美學和風格，一定有影響。其次就是整個大環境也在變化。例如從前演出需要一張椅子和桌子，一定是由零開始造出來。魯師傅一定是造出椅子、再上色。但現在很多時候我們都會直接網購一張，甚至可能不會再加工就直接放上舞台，而現在的舞台或是觀眾可能也很能接受這張桌子、椅子，但以前可能就會覺得這樣好像沒做過甚麼工夫。

敏： 這亦跟觀眾或導演有甚麼想法有關。這跟Jonathan（黃逸君）的想法很接近：觀眾需要「離開」，要在鏡框以外、從遠處去看佈景，看到那種棱角分明。但現在都市人，或者是導演和觀眾更關注的是更貼地、更鄰家、我或你身邊的東西，所以是大家所需要、接受的東西不同了，而我為了要令我們的溫度同步時，那就是為甚麼把部件買回來也可以，甚至是從家中拿回來也是有可能的。

駿： 就像是看一些畫、舊詩、《勁歌金曲》，那時候的佈景是怎樣、現在是怎樣，都有分別的。如果片面來說，我猜以前的風格是偏寫實多一點。還有以前是比較多美工的，很多時候會有個雕塑，會用上不同顏色，或奇形怪狀、有很多紅黃藍方格，但現在可能就比較少，可能是因為多了燈帶（編按：把多個燈泡安裝在帶狀線路板上，形成一條條狀燈光）。可能那些佈景顏色比較淡或是淺，那個燈帶就豐富了它。我想也是按著那個時候的室內設計風格潮流發展。

君：　所以魯師傅一看到那些需要上色的佈景就會很興奮，始終那個年代的味道……即是假如我要做《十八樓C座》，佈景道具就很明顯需要用上那個年代的東西，我猜他做這些東西時會很興奮，而事實上我們現在也很少會看到這種很寫實主義的演出。

朱：　今年舞台有很多多媒體的運用，剛剛你們提及魯師傅對美工特別興奮，但他幫你們做的佈景並不只有美工，那多媒體的運用對他來說又有沒有困難？還是他也能處理得到？

君：　對他來說，如果是多媒體的運用，我們比較多會找他做機動部件，或是結構上建構一個空間。他也很擅長做這些東西，所以他也能配合得到。

駿：　對他來說，最困難的地方就是還沒有研究到如何做到一個很乾淨、很大的平面，通常到最後就會發現最當眼的位置爛了。

君：　那就只能自己在設計上多考慮一些了，通常這麼大的平面我們會用布包著，我試過這是比較可行的方法。

敏：　因為這個層面不只是魯師傅，而是會涉及到我們如何去製景。例如在HKAPA，還有兩星期便入台，那麼我在這裡試台是沒有問題的，但我下午就要把場地交回給燈光的同事，我覺得這固然是魯師傅的一個限制，但在某程度上這也是我們設計方面的限制。

君： 所以有時候，只要看到有一些佈景需要用到一個很大的平面，我最終的處理方法也是用布包著它，這樣會整齊很多。坦白說，就算那平面是上了色的，最後也會有佈景分件線在上面。所以近來當他看到我的設計只有一個框架，而中間沒有東西，他就會覺得很失望。這也是為甚麼他會覺得《俏紅娘》和《我要高八度》的設計是爆發點。他大概在想我為甚麼總是做一些框，然後包一些布上去而已。但是，特別要運用多媒體投影的演出，經常需要設計一些較平面的佈景，對他來說，在廠裡或許他無法得知這個平面有甚麼用途，他看不到效果就覺得佈景就只是一些框貼了一些布。

敏： 所以最好就是邀請他來看一次這些演出，他之後就知道原來他做的那些工夫是這麼有用的。那他下一次想起的時候就用回這一個例子。

朱： 說起製景，現在大家都要到內地找工場。而香港沒有一個製景的地方，這件事對你們做設計的影響大不大？

君： 影響是很大的。

敏： 香港從以前到現在其實也是有製景廠的，只是不夠大。

君： 聽聞魯師傅也有想過把廠搬來香港，但是問題不是人工和物料，而是土地，他找不到地方設廠，政府也沒有支持，因為最大的問題，是需要一個空間來建廠。我猜起初可能十年、二十年前是因為內地人工和物料也很便宜，裝飾線或是建築材料都是內地最便宜的，但現在也不是了。另外就正如剛才所說，做好的佈景裝置要包好運送，那路程短一點當然會更好、更安全。記得有一次我們運送佈景到內地巡演，整個貨櫃像是被「哥斯拉」襲擊一樣。而且如果在香港製景，就可以經常去看佈景，就不用留在吉盛酒店那裡過夜。

和： 除了劇場，其實有一些展覽會在香港搭建，但那些公司又有沒有對劇場的那種愛在裡面呢？如果他們不認識舞台，只當成是一宗生意，舞台其實又沒有很賺錢，那就不會吸引到很多人在香港建工場。

駿： 但如果在香港設廠其實也有一些困難的事，因為我們可能要同時做幾個佈景，（不夠人手時）廠房就只會在門口貼一張紙寫著「聘請民工，不需經驗」。

君： 還有另一個我覺得挺大影響的，是魯師傅本身的美工雖然很好，事實上應該說魯師傅的美工是眾多製景公司中最好的，但其實香港在道具製作和繪景美工方面訓練了這麼多畢業生，他們除了幫忙潤飾，和最後拾漏補遺之外，很少有機會真正發揮所學去製作和繪製佈景。以前在香港有老王（王寧興）負責上色，髹油雲石的技巧很厲害，但現在這個人已經不在了。魯師傅很少會親手做，除非他認為事態嚴重。

敏： 那份悲哀是因為我們的錢不夠去支付他們人工。

君： 但如果他們是在香港設廠可能就可以了。剛開始的時候，或者有些人願意只收八千元人工一個月，但現在是八千元一個月還要支付來回內地的費用，而八千元一個月絕對負擔不起吉盛酒店，那就真的要長居內地。所以在內地造景要用香港的繪景師，僅僅是那四至五天，也需要支付很多錢。

敏： 香港也有人試過找地方去做製景和繪景工場，但的確那個支出數目真的很大，因為香港哪有地方可以繪景？頂多也只有HKAPA，但HKAPA太忙，也太多演出，場地無法向外出租。最開初的營運成本金額是很大的投資。

朱： 我們之前也跟其他設計師聊過，其實魯師傅幫了香港舞台很多，很多人也壓過魯師傅的價，都說「我只有這麼多錢，你幫我做吧」，魯師傅就會幫他們做。我想，魯師傅現在不在，但他的廠還在，我們討論了這麼久，好像也沒有一個像魯師傅這樣的人出現。那你們覺得，如果製景只是一門生意的時候，對你們的影響是甚麼？其實魯師傅在設計上或者將你們的設計實現時，是不是有很大的幫助呢？如果沒有了魯師傅，你們的設計成本是不是會增加很多？或者是你們自己要思考的東西是不是變多了？

敏： 我覺得魯師傅為我們帶來了很多額外好處，所以當他不在的時候，我們只能乖一點自己做。但的確，我與其他的製景公司也沒有維繫到某一種關係，這沒法強求。

和： 還有幾個不同的製景師傅，其實跟魯師傅也是很相熟的。我覺得魯師傅對劇場的喜歡和愛在某程度上也能渲染到其他製景師傅，即是不單只有他幫忙了舞台界，而且他的那一份堅持和執著的確有影響到其他師傅，無論他們會不會與他競爭，或是怎樣也好，我認為也有一些正面的影響。我覺得對我自己的影響是在設計上，有不明白的地方或其他想法時可以向魯師傅發問。他對我們年輕一輩、剛出社會的年輕設計師的成長很呵護備至，尤其是剛畢業的我們他就會更加看顧，或是價錢再算得更便宜一點。他很願意給我們機會，不會覺得我們這麼年輕、甚麼都不懂會阻礙他做生意，他不會有這樣的感覺，這對我們的成長十分重要。

君： 事實上他給我們最大的感覺，是他從來沒有把這當成一門生意。所以你不會覺得自己是在跟一個廠家聊生意：有時候你需要哄他，有時候可能他也要找一些方法讓自己覺得那件事很有趣，大家在某程度上也像是為同一個劇團做事。所以我覺得壓價不壓價，或是他幫不幫你做，很多時候有一些情義在裡面。記得他時常會說是誰誰誰叫他做，那就不能不做。我就心裡想，你這樣數下去其實全部都要做，其實魯師傅就是有很多情感放在這門「生意」裡面。

和：　還有就是，他有想過怎樣延續魯氏美術製作有限公司（魯氏）。我剛畢業的時候，他的大女兒也有回去幫忙。當有設計上的爭執時，他會讓我跟他的女兒溝通多一點，他覺得我們都是年輕一輩，就想讓我們自己發展合作模式。所以當他打電話來罵我時，我就會讓他女兒幫我解釋我的做法和原因。例如現在有阿游（蘇紹文），他也會叫我們跟阿游合作多一點，之後他也會問我們合作得如何，而他這樣的安排，也是考慮到我們年輕一輩如何繼續與魯氏合作。

君：　我在想：魯師傅的離開會不會有很大影響？剛巧有疫情，然後整個環境都在變，不禁令人思考整個舞台界可以怎樣繼續走下去？或者是要怎樣轉變？在這麼恰巧的時間，所有東西都翻轉了。我最近也跟不同的設計師和導演討論，之後的劇場應該要如何做，或者那些設計應該要往甚麼方向？就如剛才所說的重用資源，不單只是開支的考慮，而是如何去應付現今整個社會的轉變，到底觀眾是否還想看這些東西，所以我覺得整個大環境都在改變。

駿：　我覺得在魯師傅離開後……我有兩個佈景也是找魯師傅的廠做，這時候就開始想到：沒有他的廠，以及有他在的時候那家廠，兩者的分別在哪裡？以往如果他在廠裡的時候，你給他一個模型，他真的會告訴你如何能做得更好。很有趣的是他其實不知道那一齣戲是在講甚麼，因為他沒有看過劇本，他純粹是把它當作一個雕塑品去看，就在想怎樣能做得再美、再強一點。他有一個很強的心智。

有時候可能他會做多了，導演會說不用，但他很堅持這樣會更美。你也可以說跟他爭執會動氣，但有時候會像是多了一個設計師跟你討論如何把那件事做得更好，或是在機械上怎樣能做出更好的效果，他會很樂意跟你去討論和參與製作，所以現在真的是缺了一些東西。但因為現在我還沒有機會再去廠房，所以說不出有甚麼分別，但真的是缺了一些東西。

他特別的地方，是因為我跟廠比較相熟，除了做海洋公園項目的那兩個星期外，還有一次因為要做白雪仙的演出，就留在廠裡一個月。跟那些師傅相處久了的時候，那個分別就是：有時候為甚麼會說合作的過程會動氣，就是因為他們沒有那麼細緻地去管理或是責備造景的同事，做事作風比較自由，不會太偏執去指責同事，就只是早上起來的時候來看一看做得如何，然後就去吃飯。當然這是比較後期的工作模式，可能早期會做得仔細一點，但也有可能是因為魯師傅為人比較隨和。

現在還有一些很有性格又很厲害的師傅留在廠裡，對我們來說，遇到有性格的師傅的問題，或許就是他們會認為我們很麻煩，因為我們老是覺得為甚麼跟他們說了也不聽，又做錯。可能我們經歷了很多這樣的事，但那些有性格的木工、鐵工也好，他們不好的地方可能是太有性格或是偏執，但當有無法處理的問題時，例如為甚麼沒辦法拿起那個部件，或是無法鑽孔等，那些師傅就會非常厲害地去解決問題，像是天才、藝術家那樣。最厲害的地方，就是將一件物件，例如樹——很難處理，因為裡面的結構和外觀是有關連的，但那些師傅，或者是魯師傅，在美工上能說出鐵架要如何烤，才能燒出美麗的外觀，這就是工藝。有時候只是差一點，可能是鐵架造厚了、發泡膠又不夠厚了，那東西就會變得不好看或是古怪，很難說它是造錯，但就是不夠美，或是很奇怪。那魯師傅就會有很強的感覺，只是看物件就知道它造出來的效果會是如何，現在的人就是缺了這樣的能力。

（圖一）香港話劇團《脫皮爸爸》（2011）

（圖二）魯氏美術製作有限公司位於深圳觀瀾的製景廠

（圖三）小龍鳳舞蹈劇場《曾經發生，一些相似的事情》（2010）中的鐵架

（圖四）爆炸戲棚《我和青天有個秘密》（2017）

（圖五）香港大會堂劇院舞台兩旁的設計

（從左起）王健偉、葉卓棠、阮漢威

製景時製心境：製景過程與心情

日期：二〇二一年四月十七日

時間：下午四時至六時

地點：魯氏美術製作有限公司火炭工場

訪問：潘詩韻（潘）、陳國慧（陳）

分享：阮漢威（威）、葉卓棠（棠）、王健偉（偉）
（按發言序）

整理：葉懿雯

潘： 大家都曾經在不同年代裡和魯師傅合作，不如由第一個，或是最難忘、最重要的合作開始說起。

威： 我記得是二〇〇二年，那時我剛畢業，參與盧景文的歌劇。我第一次和魯師傅見面聊天應是在沙田大會堂。當時我頗緊張，因為談了很久也聽不明白他的口音在說甚麼，但期間他很有耐心地慢慢說，我也很認真地聽，遇到聽不明白的地方就畫圖溝通。如果要說作品本身，我覺得是很不成功的，那是剛畢業後參與的製作，而且相對比較大型，但我有嘗試努力做好，最終也完成了。對於我的嘗試，魯師傅給予我很多建議，那個交流過程是緊張的。

棠： 第一次認識魯師傅，應是在二〇〇五年。當時我是粵劇《西樓錯夢》的舞台設計助理。同樣地，我也聽不明白他的口音，但感覺得到他好像事事都親力親為。當時演出的入台時間是凌晨十二時後，執修佈景時他這位老人家也在場，努力做好佈景，讓我知道有這樣的一位師傅。之後自己當設計師，再與他相遇，應該已是二〇一〇年、陳淑儀修讀香港演藝學院戲劇碩士課程（主修表演）的畢業作品《無際空境》（圖一）。這演出不是學院包辦的製作，需要聘請外面的師傅製景。由於導演是何應豐，於是便找了魯師傅製景。當時的預算不能滿足佈景的製作成本，魯師傅便拍胸脯說他來幫忙。

此外，魯師傅對於不是他慣常接觸的設計要求，有很強的接受能力。那時我們去他在內地的廠房看佈景，看到的佈景就像是一個「爛攤子」，沒有上油或做其他處理，只用原木搭建出來。我覺得挺漂亮，便說「就這樣，只需磨滑『披口』位就可以了」。他第一個反應是：「為甚麼佈景可以是這樣未完成的狀態？」我說現在搭出來的樣子就是我們想要的效果。其實在魯師傅的認知裡面，他希望完成佈景，而設計師想要的是一個好像未完成的效果，對於他來說好像是「文化差異」，但他又能夠接受這種想法，這就是我最大的感受。

偉：　我和魯師傅認識也是因為何應豐。最初和何應豐合作時，他知道我喜歡某些物料質地和製作方法。有一次我和他合作設計《咏嘆調》（圖二）的佈景，他便提議我找魯師傅。佈景製作時間很趕，預算緊絀，很記得像是下星期一入台，前一個星期三才確定模型，那個模型相對有機的（organic），各種組合都有，便去找魯師傅商量如何處理。因為佈景很大型，要在廠房旁邊的爛地搭建，他就找來數個合適的師傅，從下午到夜晚花了約八小時就搭好佈景。那次的經驗對我來說很是新鮮，而且發現他看人很準，很快便找到適合或是能與我溝通的師傅。記得那次同時有五、六個師傅過來幫忙，有做木工的，有做顏色的，也有做質地的師傅，印象中那天很愉快地完成了工作。

潘：　在美學方面，有沒有一些例子，是魯師傅幫忙成就了你們的設計，或幫忙找到了解決辦法，又或是有一些特別的故事值得和我們分享的？

棠：　即是「魯師傅如何成就你的設計生命」？

偉：　我二〇一三年才認識魯師傅，當時魯師傅比較少和我在製作層面上溝通，比較多和我聊飲食、健康的話題。他會長篇大論地說，而且還勸說我吃素。我感受到當時魯師傅在心態上較注重這些東西。當我重看在Facebook（「追憶．有德有義魯師傅」專頁）上徵集的帖子，和魯師傅在不同年代合作的前輩，無論甚麼崗位也好，我發現他們談及的面向，有些是我沒有接觸過的，而我接觸到的那一面，是當時魯師傅比較關心生活、生命的一些追求。

威：　聽你這樣說，我又覺得很有趣，可能因為我吃素，很少聽他說這些吃素的事情。他談論飲食方面倒是有的，而且他很照顧我們的膳食。他的廠房應是在一九九九年搬往觀瀾，之後我們時常去看佈景。我們每次去，他都很禮待、準備很多食物。不論多匆忙，或是他沒有空，他都會請人安排我們的膳食。他在旁請人打點時，也會特別留意說文通（曾文通）和我都吃素，請人多叫兩、三碟素菜給我們，這些對後輩的關懷令我印象深刻。

棠：　每次我們到廠房時，大部分時間也不是在討論製作、設計，譬如有六小時，當中有三小時都是在做其他事情。我很相信這些事情對於人與人之間的合作很重要，可能是魯師傅身為中國人有那份禮待之心。那不是客氣，而是透過飲食等方法建立人與人之間的關係，促成對話。對話期間很大部分的時間都是他在說話，因為他是前輩，而且他真的很喜歡分享各種事情，例如他會說很多關乎劇場、舞台製作的事情。

他幾十年來不斷累積經驗，會分享以前的經歷和見聞。最大的得著，是那時在廠房需要完成一些任務，可能是檢查佈景顏色等，心態通常帶著執著。但在你展示或執行這種執著的時候，他就會從他的角度與你分享他海量的經驗、人生之談、飲食或香港劇場發展史等各種事情，突然之間你就會放鬆了那份執著，那是人與人之間很特別的化學作用。

他會使你突然發覺那件事情，很可能不只心想的那種執行方法。甚至是當你內心想著某種效果，但可能因為他對你說了一些事、和你一起吃了一頓飯、抽了一口煙，你會突然發現那個顏色可以是這樣，而這種體驗是很「魯師傅」的。例如只有他才會帶你去（廠裡的動物園）看孔雀，你看到白色的孔雀——有一段時間有白色的，後來沒有了，只有一般的孔雀（圖三）。當你看著白色的孔雀，心中想道：為甚麼我心中所想的木色佈景不能是紅色的或是偏紅色的呢？他會使你離開一些想法。我曾經和其他師傅合作，發覺這種體驗真是魯氏獨有的。他製景，也同時在製造、改變你的心境，這是很獨特的。

潘：　其他兩位是否有相類的經歷可以和我們分享？

威：　剛才Moon（葉卓棠）所說的分享，我都覺得很深刻。魯師傅時常與我分享很多我不知道的事情，大部分他說的話我都記得。他好像是在類比一些事情，例如某些設計的製作技術，他會基於他的經驗來提點你——他曾做過甚麼、這樣做可能會存在甚麼風險和問題……我起初會有一點自我，覺得想要嘗試一下，但因為他的經驗實在豐富，會使我重新思考技術上的執行問題。

我想，Moon說的那種界乎很認真地和你直向探究一個製作，又與你分享經驗，橫向開闊你的心境和眼界，這些縱橫交錯的分享，應該是因為他把你當作是朋友才會這樣和你說話。他的性格很直率，會很認真地指出問題和建議，有時他是一個前輩，有時候又會「搭晒膊頭」（勾肩搭背）很開心，感覺很複雜。

我聽過很多很有趣的故事，例如火炭的工場永遠不能搭一個完整的佈景出來，因為空間有限，所以他會嘗試用很多方法，分批製作不同部分給你看再修改。這些事情對於我們這一代的設計師來說是匪夷所思或不能接受的，但在他們那個年代，那是一種挺不容易走過來的經驗。那些故事在我聽來，除了有趣，也有所得著。大家在那樣的情況下也願意互相合作，我想現在也不容易建立這種關係。

棠：　你剛才說到的，解釋了平常建築、室內設計行業的建築師、設計師和「contractor」之間，通常都是客戶和服務提供者的關係，而劇場內都有類似的分工和關係。但與魯師傅合作時，反而像是一種朋友式的分享，甚至他會有身為藝術家的審美眼光和看法，還會盡力追求心中覺得好或美的東西。這是他的性格，也因此才會有你所說的，以前工場的空間不足，只能逐個景片部分去檢查。這已經不是容易事，可以想像那個製作過程其實更困難。

香港的空間有限，我聽前輩講，當年甚至非法霸佔天台，不顧一切地解決問題，都是希望做一個好作品出來，這當然遠遠超越了提供服務的層次。而且我想當年對「專業」的概念比較模糊，不是現在那種合約式的白紙黑字，列明了要在何時完成，不然要賠償多少、開工前付多少訂金就可給予多少優惠……當年這些合作條款還沒有那麼清晰，那種合作的關係就已經開始了，已經追求如何解決問題、成就效果了。

這裡可以談到傳承的問題。到了這個年代，甚至現在這種劇場生態，創作人可以怎樣自處？可以怎樣理解和重現這種從平常合作製景的關係，衍生擴大出來的劇場合作關係？又或者創作人之間的眼界或思維，可以做到剛才所說的橫向、直向的分享又是怎樣的一回事？

潘： Jan（王健偉）呢？

偉： 有趣的是，我和魯師傅在談論設計的時候，我會執著於一些線條，他真的會拿一張紙出來畫線。他對線條都很有追求，我們連一條曲線怎樣才算是美也會討論。我覺得那種交流是……起初沒有想過會討論一些製作以外的東西，這是意想不到的收穫。其實有足夠的圖紙，他們已經清楚製作方面的事情，他們更多的是想與你聊天，所以他們會多問：其實你想要甚麼呢？你想看見一個怎樣的畫面？我想這些一直在陪伴我成長，幫助我前行。

潘： 剛才Moon提到團隊的合作關係，或者是設計師和製景師之間的合作關係。我們之前訪問其他朋友，他們都不約而同地提到魯師傅「抵得諗」（不怕吃虧）。他們會給予魯師傅多個設計，然後魯師傅會告訴他們最有效的做法、怎樣解決技術問題。你們會否也有相類的例子可以分享？魯師傅有否曾經為你的設計想出解決辦法，或完善了製作？

棠： 關於「抵得諗」的討論，對我來說，未必是著重於怎樣達成某個效果或期望這個層面。我反而在想，魯師傅經常懷著仗義之心。他覺得自己也是一個藝術家，藝術家是比較不注重現實層面的考量；但身為製景師，其實需要平衡成品效果、成本，所以魯師傅經常在一個奇怪的地方之間遊走。他有時會覺得香港劇場的設計師沒有資源做到想要的效果，便不計金錢地用他的方法來幫你完成製作，而這種「抵得諗」在行內慢慢地廣泛傳開，便成了「找魯師傅製景比較便宜」的說法。魯師傅抱持這種俠義心態，認為如果自己不挺身而出就沒人會幫忙，覺得藝術家就是不計較金錢的，應以做好作品為先。

這樣甚至乎影響了創作、劇場生態。譬如製作資源是一萬元，魯師傅就會做一萬二千元或者一萬五千元的效果，慢慢這件事變成一種必然，而這種必然慢慢使得策劃人員以為製作表演節目可以只用低的成本、少的資源。這樣是否變成所謂的「好心做壞事」呢？坦白說，我也曾直接問魯師傅為甚麼要算得這樣便宜，他回答因為不然沒有人幫忙成事。其實甚麼叫做「幫忙」？應該是要讓相關單位明白，如要達到某個期望的效果，是需要一定的成本和資源，這是必然而且合理的關係。如果這個合理的關係，因為你的俠義而變得不完全對等的話，便會讓上層的人覺得太容易成事，可能會影響將來的發展。我想這件事對上、對下、對將來而言，都是需要面對的。所以這個「抵得諗」是在「抵得諗」甚麼呢？

潘：　你們兩位就著這件事有甚麼看法？

威：　他一邊說，我一邊在想甚麼是所謂的「抵得諗」。我想那種「抵得諗」部分源於他對技術、安全的要求很高，但成本不低，而他願意承擔。這種要求會直接影響佈景的視覺效果。假設用很便宜的物料和魯師傅的做法比較，是能夠看出差別的。當然這也變相形成Moon所說的，魯師傅承擔了部分製作成本的問題、製作費用落差的問題。這麼多年來，肯定會出現很多這些問題。

但同時我又想起一個畫面，和他討論預算時遇到問題，有時PM、監製也在場討論，但最後他說很欣賞那個創作，他就會願意所謂「抵得諗」。這是基於他藝術家的個性，他願意承擔這些事情。我猜想他對於藝術、美觀的要求高於想賺多少錢，他不介意這次少賺了，下次再多賺回來。大家覺得他是以一種俠義精神來幫大家，我想他是有這種個性的，所以大家才有這樣的印象。

偉：　我和魯師傅合作的時候，他有藝術家的脾氣和執著是無可否定的。他有句「口頭禪」，當我給予他一個很不足的預算時，我都會自己嘗試減少要求，他時常和我說「不要緊，即管說你想要甚麼，我有錢賺的」。我永遠也不知道他究竟賺不賺得到錢，但他是想我放心、讓我放膽嘗試，他會幫忙做到。我想那種「抵得諗」是他願意放下對於某些事情的追求。

威： 我也有些有趣的經驗，他時常對我說「我今天看到一個很美的設計」，我便知道那個作品成了，因為那個作品已經進入了他的內心，他很願意成就那件事。他很多時候都是性格先行的，當然價錢落差不能太誇張，不能每次都是虧本生意，但他會盡力嘗試滿足設計師，很想完成他覺得很美、很欣賞的設計，他以這種精神讓大家可以前行。

棠： 我想這種「抵得諗」之所以會發生，除了魯師傅的性格之外，就是回到你怎樣對待你所做的事情。例如製景師傅怎樣對待製景這份職業、生意，他可以把它當作是提供服務，講求成本、時間、怎樣達至效果等，而在魯師傅身上，看到的是一種純粹、單純的喜歡。其實一般人也是，如果喜歡一件事，便不會在現實層面有很多的考慮、計較，想做便會去做。剛才提到他會說「我今天看到一個很美的設計」，我沒有從其他師傅口中聽說過，他們只會覺得「要做就做」，不會分享這些。

魯師傅喜歡分享，分享的內容一定是源自於他愛那件事。他秉持「我不入地獄，誰入地獄」的精神，擔起大旗，一定是源自於喜愛，而這份喜愛肯定是純粹的。因此我剛才說魯師傅有一種矛盾，既要做一盤生意、養活一群工人，但又很喜歡、很想做這件事，他就是在這種拉鋸之中。

陳： 我想問現在是否沒有這類「抵得諗」的師傅與你們合作了？

棠： 每個人都有不同的「抵得諗」。

偉： 很多師傅都有好的一面，只不過方法、力度不一樣。我的個人感想，是業界最主要的三位師傅都很努力地做事，而現在經營也很困難。有師傅凌晨二時傳訊息給我，說他很不開心，遇到了很多問題，又沒有工作，但他一個月的開支至少要十多萬。他們都有很多這些狀況，他們都在用相應的力來與我們同行。

威： 我覺得現在其他師傅都「抵得諗」，但我剛才形容魯師傅的「抵得諗」有一種激情、浪漫主義存在。當我與其他師傅傾談時，他們不是沒有那種東西，但可能他們不是用那種方式告訴你，而且真的沒有魯師傅那種「charisma」（魅力）。他們一樣願意同行，不然他們不會仍然幫助大家製景。其實從事舞台製作真的不容易，我覺得現有的師傅也受到了魯師傅的影響，他們都知道魯師傅對製景的熱愛和標準，因為他們都經歷過，我覺得某程度上他們在潛意識裡都有在跟從。

潘： 你們剛才都有提及，魯師傅有一個很獨特的地方，就是他有美工底子，同時也是一個藝術家、對於藝術有要求。你們覺得這件事對於設計的重要性在哪裡？當你知道這個佈景會由魯師傅去做的時候，會否因為他有能力和美學底子，令你在設計上有不同的想法，或會嘗試更大膽的方向？

威： 我覺得他也很願意嘗試。一些比較傳統的劇場或藝術形式，需要在景片或一幅紗上繪畫，他會願意聘請一些內地美術學院畢業生，專責繪畫那個項目。此外，每個設計的類型不同，當中涉及的不只是美工。由九十年代開始，他致力製作一些機動的東西，他在那方面給予大家很多靈感和啟發。因為我們由傳統劇場走到相對現代的劇場，有時牽涉到可活動的機械裝置的佈景，他都很想滿足這方面的要求。他在這方面的經驗很多，並很願意聆聽設計師的要求。他會聘請不同專業的師傅，例如曾經和他合作的徒弟，現在有些已自成一家，有的專門在做機械，他便會請這些師傅回來幫忙做好這件事。這方面對於我來說，不是純美工，劇場技術的範圍很闊。

偉： 如果從個人層面來說，我和魯師傅的合作中，他用美工、顏色、素材、質地來營造一個空間，而那個空間需要有一種力量，尤其是舞蹈的演出，需要多一份能量賦予在那個佈景畫面之上。和魯師傅合作就可以幫助我去呈現那種力量，他很能理解我如何透過顏色、質地、素材來創造那個空間。那是比較難單靠一張圖紙、參考圖來表達的。

棠： 魯師傅本身是個藝術家，他很喜歡提出一些問題來考驗你，問你有否想過要怎樣做。因為他有經驗，你會害怕回答不了他，但你可能真的很想達成某些東西，但又未必知道方法，而魯師傅的方法又未必能達至你想要的效果，經過拉鋸，最後得出一個方案，既不是你原初所想的A，又不是魯師傅原初提出的B，跳過C，得出帶來驚喜的D。這是一個學習過程，與人合作亦是如此，雙方討論期間，就會碰撞出一些新的意念，魯師傅在這方面就是個很好的合作伙伴。

「他有美工或美術底子」這個說法，不能直接反映他本身是藝術家的特質，我反而覺得那個特質應是他對美的追求，而繪畫只是呈現他心目中的美的一種方法。因為劇場已經發展到運用機動裝置，甚至有些效果可能會超越實體認知——用顏色、質感、視角去看，或有些電動裝置，我會歸納這些東西為「佈景」，即是很實體的東西……慢慢發展到現在追求一種「情境」，看到的是一種劇場的效果，帶給觀眾一種體驗和感受。設計師慢慢開始考慮想在劇場上得到的效果，已經不再單純地說顏色、質地，你會開始和他討論這個表演空間的故事構成。

魯師傅的有趣之處就是，他有美工、藝術家的底子，而通常藝術家大都是自有對心中之美的追求，但他會開放接納新時代、新流派的想法——雖然未必能夠完全理解，但他會接納。最後回到怎樣製作的問題，他又會願意和你一起認真研究，不只是純粹在物料、美工上的討論。我覺得難能可貴的，是可以和他討論說，這個佈景有兩層意義，不只有實體外觀，同時是個寓意。如果和「contractor」說寓意，他會覺得自己只是個木工、做油漆的，為甚麼要說寓意？但魯師傅真的會和你討論，他知道後可能會提議其他做法，我便會請他不要用一種慣常合理的執行手法來對待那件事。我會說只要符合尺寸，我甚至可以接受完全是別的東西，於是他又會提議用某些物料。

這個合作過程是有點違反常理，因為通常在討論如何執行時，已經談好價錢，當中已計算物料成本，但後來到廠房和他說到寓意、故事構成，便決定採用非原初計劃的物料，加上寓意的考慮，可能由兩元一斤的油漆轉用較昂貴的鏡膠，這又真的很「抵得諗」。這就是他對美的追求，又能開放接納新事物，而且他也會覺得有趣、有寓意的，不只是一個佈景而已。八、九十年代，可能會是偏重寫實佈景，所以才會著重美工。

潘： 這也延伸到香港舞台設計的發展，其實其他訪問也提及過，早期可能因為多做翻譯劇，所以早期的舞台設計是「佈景設計」。現在當代劇場的形式和說故事的方法已有很大的轉變，你們觀察香港劇場在過去四十年間，舞台設計上有甚麼轉變？引申至和魯師傅的合作上、互相成長這方面有沒有一些事情可以和我們分享？

威： 我從八十年代開始觀劇，我覺得那個發展當然正如你剛才所說的，是由傳統翻譯劇，到後來有解構，甚至是現代的香港原創劇。這是一個發展趨勢，但我覺得它不是線性的，我們仍然會做翻譯劇、做傳統的佈景，所以很難簡單概括舞台設計的發展是怎樣的，當然你說的美學發展也有跡可尋。根據我的經驗，以前是服務傳統的戲劇，現在我們可能有愈來愈多的介入，讓那個空間可以有很多方式配合演出，這對於設計師來說變化很大。我想香港在這方面比較特別，因為有些外國劇場一直只做一個劇種，無需在不同美學風格間遊走。我看到有些事情在發展，有些事情則在停留，停留沒有甚麼不好，而發展當然有好處，因為舞台的空間設計師不再是被動的角色，甚至可以愈來愈主動參與對話，那一定是很刺激的。我只能夠很概括地說。

棠： 我小時候劇場作品看得不多，看的都是粵語長片、電視劇、電影，當中看到的鏡頭運用、劇本故事的呈現通常比較著重藝術的形式，例如戲劇。電影裡的戲劇運用鏡頭拍攝二人說話、「打打殺殺」，或是談談情之類，著重的是「戲劇」這個形式。而舞蹈表演，例如芭蕾舞，空間只有基本的燈光，不同藝術形式的呈現都是這樣的。可以看到那時候的舞台空間、佈景、道具、服裝之類，都處於支援的角色，為那個藝術形式提供服務，是一個「佈置」去呈現那個演出的氛圍。我相信劇場都是在同一個狀態裡。我們不只是看劇場，而是這種藝術表演的形式，從幾十年前慢慢走到現在是怎樣的一回事，劇場很明顯都是在同一個潮流裡。

但慢慢地，大家看到很多可能性，於是開始在不同的藝術形式中滲入很多不同的元素，當慢慢發現可以用其他的媒體、方法來敘事，就會察覺到整體的藝術形式是怎樣去說故事，而故事對觀眾來說是一種體驗、一種感受。此時，我們便會更多地介入製作，因為在種種媒體的介入下，舞台的空間、道具、圖像多了這些可能性。當然特別是隨著媒體或者科技一直發展，我們會看到很多新媒體的演出，有很多新的展示形式，即使是戲劇演出，也可以看到不同媒體的可能性。

如果我們只是空有想像，只留意外國的劇場界是如何發展……外國的月亮當然比較大，這是不容置疑的（笑），因為有很多東西他們比我們先接觸。外國的市場、社會對於藝術形式的需求和與生活的結合比我們完整——這已是另一個話題。透過傳播媒體，我們見證、見識到那些可能性，但未能體驗到，於是我們就想去做。而我們把這種新的藝術形態的表達方式，從靈感落實至本地創作的時候，時常會考慮到幾件事情：第一，觀眾的接受程度，觀眾是否能夠看明白……

威：　這牽涉到很多技術上的東西，其實是千絲萬縷的，有時候做一些新的東西，就會多了一些市場考慮，這又牽涉到香港主流劇場的某一種形態、某一種藝術形式，有某一種傾向，也牽連到其他的藝術發展。

潘：　可否形容一下那種傾向？

威：　我想，正如Moon提及，設計師構思一個東西時，一定是想表達某種意象，但如果把這種東西放在現代某一種製作中，觀眾有時候會有一種落差的體驗。因為有時演出被期望要以某一種藝術形式呈現。雖然我們會願意繼續探求新的表達方式，但當觀眾看不明白的時候，實際上有時候也會有一種挫敗感。

棠：　關於那種挫敗感，我正想說兩個重點。第一是觀眾會怎樣看，第二是策劃或構成這個製作的團隊怎樣看。當然首先要問的是：是否需要一個新的形式來說那個故事或呈現這個演出節目？有很多新的藝術形式可以嘗試，但你覺得自己做這件事情是意欲何為呢？為甚麼想在香港這樣做呢？如果因為是個傳統的戲劇，所以要找一些新元素，這是不是一個市場的考慮呢？我是否想做一些新的嘗試來吸引更多的票房，或者金錢，甚至其他收穫？是否要「為新而新」呢？這是第一個問題。

第二，假設創作人想嘗試新的東西，但可能發現傳統提供支援、資助的形式，原來未能支持新的方式時，又怎麼辦呢？可能要去說服那群「切餅的人」（分配資源的人），游說他們分配更多資源去做新嘗試，但這是非常困難的。要使得那些說故事的新方法可以出現，需要一些成本、一些新的資源。但如果轉換角色，變成資助的人，也會問這樣可以做出甚麼成績。於是這件事情總要有一群勇士、開荒者，不怕吃虧先行嘗試，但這與投放資源讓你去做是不同的，效果不足以說服到一群老闆或是分配資源的人去讓這些事情發生時，同時便回到問題核心，就是為甚麼要用新的方式說故事？這直接影響了劇場生態怎樣發展，甚至影響了舞台設計。

棠： 那為甚麼呢？因為在本地的表演藝術教育裡，有導演、監製、設計師、演員等，在這些人的訓練達至「專業」，及後變成「職業」的過程裡，有沒有相信過用新的媒體去表達？還是，譬如我是受寫實主義訓練的導演，突然想在這個演出用一些新的表達方法來說故事，但監製、演員等大部分人的思維都是傳統戲劇的模式，那種矛盾對於我來說，才是發展中的一種現象。發展期間，我們需要意識到空間的舞台美學可以如此說故事——可能限於導演要演員說某兩句對白，但其實讓一塊布飄下來，就不用說那兩句對白、不用走台位，然後監製就會問誰才是導演。從中便可看到在教育訓練裡，除了對於一種表演形式應該如何構成之外，還牽涉「協作」究竟應該怎樣發生。

如果透過教育一直衍生的是相互之間的關係，例如我和魯師傅在某個時刻就不再談論提供服務與否的問題，大家就是分享，就是一種協作，可以碰撞想法，這又回到那群核心的創作人如何看待整體的創作形式。這牽涉資源、人員的思維模式、人員能否接納新事物、演出如何在表演空間裡執行，例如工作時間表、所需的工作人員。這和資源、策劃，整體形成一個三角關係。很難說我們的舞台空間、舞台設計的發展至今見證了甚麼，我反而看到的是究竟現在我們正在面對的是甚麼。

潘： 對於這方面，Jan你有沒有甚麼補充？

偉： 以前較多的是對於文本的詮釋，現在則較多文本以外的討論和延伸，透過我們的詮釋可以表達更多自己的想法，引致更多不同形式的表演藝術出現。我只能分享，現況可能是最近五年間，我每年做的設計有一半，甚至多於一半是在做「空間規劃」。空間規劃是設計觀眾怎樣參與演出、觀看演出，無論觀眾是否投入去看，或是透過設計觀眾的位置或坐的方法，促使他們介入演出。這個層面的思考多了，做這些規劃的機會也多了。

當這類演出一直發展，我們開始知道要多做準備。這類演出的籌備時間一般長約一年三個月至最緊絀的八個月，說長不長，說短不短，但相較於某一類型的戲劇演出，是一倍的時間。我想分享的，是我看到的畫面正在前進中。有嘗試成功的時候，也有嘗試失敗的時候，我相信多了人，無論是在職，還是在努力中，還是觀眾群的，都在打開眼界嘗試多看一點，看看可以接收到甚麼，我想心態在逐漸開放。

潘： 剛才你們都提及到一些轉變，對於你們現在從事設計，會否有一個很大的挑戰？或是預視到將來會有一些挑戰？

棠： 我剛剛遇到一個很大的挑戰，就是以為自己被招攬引薦參與一個製作，希望做到一些所謂「新」的東西，但原來不是，最大的挑戰是怎樣安撫心靈。最慘的是，從來都知道很多人口說一套，但其實沒有能力摒棄自己舊有的一套。他們看到外國的月亮大，心想不如把外國的月光引來香港「照一照地塘」，然後覺得你可以，就請你過來幫忙，結果不是這樣的。這是個很大的挑戰，要安撫自己的心靈。

威： 我懷疑每個設計師都經歷過類似的事情，我都經歷過。剛才Jan提及過，就是理念上想實行，但可能有很多東西在扯後腿走不動。我想我們都經歷過很多不同的階段和關係。聽了大家的分享，我又會覺得，是我們某程度上都是導演，都在「導演」空間，甚至乎可能那件事觸發了很多戲劇上的行為或推進，還是如何切入那個劇本。但有時與相對傳統的做法的拉扯很大，也講求原創人和設計師有多願意抱持開放的心，共走一條路。

棠： 但有時即使我在一個團體，並願意多走一步，但矛盾還是會發生的……如果是沒有資源的藝團，當然快樂地能做多少就多少。但有些製作或演出單位，他們得到的資源是建基於他們的往績，並假設了他們會繼續提供一定質素的演出作為「產品」。如果站在那類藝團的製作人立場來看，要冒險做一些未必知道結果的東西，需要考慮能否保住藝團的招牌。可能幾十年來某團一直做某類東西，現在覺得有些過時，想做一些新嘗試，但過程中發現不妥，覺得新到不像自己的產品，那又是一個拉扯，並又回到市場的考慮。藝團可能有遠見，但是否敢於實行、能夠實行多少，這又是一個拉鋸，且已經超越了創作人的層次。

偉： 我覺得有趣的，是當設計師多了分享的平台，即使他會與不同的導演合作，他自己也是在走自己的路。我也很認同，找到志同道合的人一起合作，是很重要的。除了互相了解彼此對價值觀、美學的追求是怎樣的，其次是，當合作的時候，不應把意見簡化二分為好和不好，我們可以把意見剝開，看看裡面的東西，了解那個意見怎樣看待那件事。這可呼應我上一段話，這樣我們才能對一件事有不同的詮釋，才能深入地多角度了解事情。我相信要慢慢建立那些人與人之間的工作、創作模式。

威： 我多說一點，剛才Jan提及到籌備，我覺得籌備是很重要的。剛才說花一年時間來準備一個製作，如果要嘗試新東西，一年時間其實並不足夠，所以會造成很多剛才Moon提到的落差。可能找人合作的時候，只給予一年時間準備，然後對方會害怕，不敢與你並肩同行。未有準備時就要實行，這也是一個現實。

棠： 還有就是以為自己真的在做一些新東西。

威： 對，這又是一件事。

潘： 幾位都是從學院出身，想問一些關於承傳或教育的問題。從你們的經驗分享，現在的學院訓練對於你們剛才提及的劇場生態來說，是否足以訓練一些後來者去承接你們這些前人的經驗，再去開創香港劇場的未來呢？

威：　當然我們的傳承只有一間學院，但也很視乎畢業生出來工作後，是否能夠銜接他所學的，或者他怎樣看待未來、以前所學和眼前所見的落差和關係。我覺得這很視乎他是否願意走出一條路。我想那種承傳，是等待他們願意前行，這是很重要的。因為很坦白說，現在很多人都不敢前行。

棠：　尤其是在疫情和社會的世代轉變的情況下，更難去談論傳承。其實就是重新去問，一個劇場作品或是表演藝術節目在生活裡和人的關係。礙於疫情，劇場有一段長時間不能開放，但原來人不會因為沒有劇場節目而使生活出現問題，當然我會反問幾個問題：第一，究竟演藝節目對於一般人來說是甚麼？第二，作為參與劇場的人，你以劇場作為職業的話，沒有了劇場，在經濟上或者創作生命上，你又如何自處呢？本來可透過舞台空間說話，但節目沒有了，空間沒有了，便變得「無話可說」。

很多人會轉行。看到這一、兩年間，演藝節目數目大減，甚至停頓了，真的很難想像這些畢業生，在學時不用上課，畢業後那年又不是在做相關工作，是怎樣的一回事呢？當然很多行內人都會轉行，從事其他工作，當中有些人後來會反省劇場對於自己來說是甚麼。以前我們時常在界別裡去問，我們可以怎樣傳承、我們作為藝術工作者是怎樣的、我們觀望甚麼、我們做了甚麼。但有趣的是，因為疫情和社會環境，我們從界別抽離後，自處時會突然變得很清晰，便會反省：原來在這個世界裡，我們這群人不是很重要，是奢侈的存在，演出也是昂貴的票價。

但是所謂的傳承，是我們從來都是在做一個創作。我們要重新去問，在這個疫情期間或過去後，在這種社會環境下，舞台空間、美學空間之類的崗位的創作和人的關係是甚麼？對社會的貢獻是甚麼？如果對此沒有思索過的話，其實很難去說傳承。因為剛畢業的可能未能入行，而兩、三年前的畢業生經驗尚淺，又沒有演出可做。他們真的需要問自己，作為劇場藝術工作者，對社會有甚麼影響。

棠：　如果他們很相信自己崗位的價值，我相信他們即使身在其他地方，或是在便利店當售貨員，也能夠清楚知道自己的定位，不會受限於現時的處境，會堅持在疫情過後回到劇場。這樣的傳承不是在說工業式的生產，而是在劇場這個範疇裡面，甚至乎在這個社會裡面，創作人、社會上其他的人怎樣不受限於現時的處境，清晰地定位自己。這不是「留得青山在」的概念，有時太過「in」（投入），都要「out一out」（抽離一下），但目的都是為了「in」，我覺得要傳承的反而是這樣的東西。

潘：　你們有沒有補充？

偉：　我想，要傳承這個狀態，最根本的是來自於對那件事的愛。即是當你對於這件事有足夠的愛的話，無論有多困難，你都會把你生活上任何議題變成資源、養分，讓你繼續前行。現在同學之間的合作少了，或是會對各自的製作劃清界線，以前同學間會有種「同撈同煲」（共同進退）的感覺，現在則比較少這個現象。當然一個現象不能完全反映整體情況，但從他們的溝通可見，多了很多技法和專業的標籤，而慢慢少了很多純粹因為喜歡那件事情便去做的心態，多了問題，少了嘗試。

潘：　最後一條問題，是和剛才Moon提及的事情有關，在疫情的時候，製作方向大變，我看到這對於舞台設計師有很大的影響，因為全部場地也被迫關閉了，接下來有很多「數碼」（digital）的演出，很多創作人在場地關閉期間也有做網上演出。相對於場地、建築對於設計的限制和影響，你們會否在這方面有一些體驗或者想法？意思是，由傳統的香港場地，以至於你們展望將來，當處理的空間不再單單是實體，而可能要在網上「建築」一個空間，或是更多不同形式的演出空間時，你們看到將來的發展會是怎樣？有沒有甚麼體會？

棠：　其實你問的已經不是演出空間的問題，而是關於形式的問題。首先，我覺得無論如何，錄製都不能夠取代現場的演出。兩者的差別當然牽涉現場互動的模式、當下的氛圍，這些差別顯而易見，無需多談，而我想說的不是這種層面的問題。

現在面對疫情、整個世界的轉換，我們需要反思過往的形式，展望將來的可能性。首先，我們都需要抱持開放的心態，接受可能往後二百年大家都要戴著口罩，劇場可能會關閉五十年。在這種環境下，演出節目要怎樣連結觀眾，是個很大的議題。所以現時的問題不應純粹著眼於如何保留傳統的表演藝術，而是探問創作人可以如何透過新的形式連結觀眾。我想探問的過程離不開對於劇場的初心。

潘：　另外兩位呢？這個問題也關連到魯師傅。當演出的形式愈來愈多樣，你們將來可能會處理更多不同的空間，有更多不同的可能性，例如已有的「site-specific」（場域特定）、或是沉浸式或數碼的演出。對於某些設計師、劇場創作人來說，數碼這個媒介不是他熟悉的範疇，而是屬於多媒體的範疇，你們會怎樣看待這種空間設計？此外，這種形態是否也在慢慢影響製景行業？

威：　我想也要考慮一些很實際的東西，例如傳統佈景在高清的鏡頭下會產生很多問題。在疫情期間我曾參與一個製作，佈景在高清鏡頭下有很大的落差。我想很多觀眾沒有留意，但我很在意，錄製演出就是取代不了現場演出。換個角度，我想日後一定會出現一些配有佈景的錄像演出，純粹在網上播放，這是一定的，也相信有人會義無反顧地走那條路，並投放資源。我不知道那會是怎樣的形式，我也願意參與這類製作，但我想到時候的製作方法又會很不同。

棠：　其實這個問題也回到了比較實際的層面，再加上疫情，大部分製景師傅都在內地，我們現在去內地、回港都要隔離，簡單來說我們不會到內地看佈景。

所以你剛才說的落差，除了是鏡頭放大了佈景的瑕疵外，其實也是因為無法做到品質控制和溝通。這一、兩年間，的確有很多佈景在質素上出現嚴重問題，我相信如果現時的情況持續，可能有人會偏向設計一些不太需要品質控制的佈景，最多是要求造工，而不會要求一些有藝術感的繪景效果，畫得美不美、顏色準不準確，最後它會變成某一種「drive」（趨勢）。

偉：　我覺得情況未至於這樣差的，因為這也會促使我們兩地之間的分工做得更好，但現在普遍的短期現象是甚麼呢？是在拉鋸既想拍好影片——不是運用標準鏡頭，而是可能用三部攝錄機——但又想營造劇場現場演出的感覺。我舉一個例子，和不同的藝團合作，有些導演會用電影鏡頭去拍攝，有些導演則會用「blocking」（演員走位）的空間規劃方法拍攝。如果用正面的角度去看的話，始終是多了出路，會走到不同的崗位，設計師也是如此，最終他們會找到自己更想走的方向。我覺得，雖然這個情況不知道還要持續多久，也不知道會否有完結的時候，但它最終會使我們創造出更多的可能性。

威：　這是一個很奇怪的歷史分岔位，如果很樂觀地去看，就會覺得有很多新媒介、藝術形式，建基於劇場上走了一條路出來，或者突然間有很多網絡科技可以支援到這件事情，再衍生很多新的東西。

我覺得整個行業也需要思考同樣的問題。我們可能多走幾步、多嘗試一些東西、推動一些事情，但發展到再下一代的科技時，便可能要交給下一代嘗試了。老套地說，「有危就有機」，但香港又是否可以配合到這樣的發展？我不知道，坦白說，我們也未必有本錢回答是否可以做到。

對於新的科技，我們是否真的可以追得上那個速度，我們追得上又是另一件事，有很多變數，所以我不知道。

偉：　我有一個很無謂的例子，就是「jam」（即興演奏）音樂。以前我想「夾band」（組織樂隊）都是要找住在附近的同學或朋友，大家都是在香港的，但現在如果你能夠建立一個可行的系統，你可以找外國的隊友合奏，這是可行的，也已經有人在試行。我們可以發展更多這類的合作方法，這些都是可以嘗試的形式。

（圖一）香港演藝學院《無際空境》（2010）

（圖二）動藝《咏嘆調》（2014）

（圖三）魯氏美術製作有限公司製景廠裡養的孔雀

（左）曾文通

尋找香港美學：劇場美學的探索

日期：二〇二一年四月二十六日

時間：下午三時至五時

地點：Allpamama 柯帕瑪瑪

訪問：潘詩韻（潘）、陳國慧（陳）、朱琼愛（朱）

分享：曾文通（曾）

整理：葉懿雯

潘： 你和魯師傅合作已久，你第一個和他合作的作品是哪一個？從中有甚麼體會？

曾： 我第一次和魯師傅合作，是我一九九七年畢業時，何應豐找我擔任《鄭和的後代》聯合設計。在排練的時候我們不斷觀察演員的身體動態，乃至是整齣戲的進展，然後才發展出佈景設計。當時在香港藝術中心壽臣劇院上演，在半空中有條「track」懸掛著，有一頂帽子會在演出期間不斷轉動。那時我剛畢業，不太明白製景行業的運作，心裡疑惑：這個設計是否真的能實現出來？會否遇到困難？何況「track」中間還有一片「gauze」垂下來。

由於何應豐與魯師傅長期合作，他請魯師傅來跟我討論，我繪了圖，說了大概的構思，說那頂帽其實會時轉時停，很快他就回應說這是可行的、不難的。最後做出來的效果很流暢。那是我第一個在香港演藝學院（HKAPA）的演出以外的設計，讓我大開眼界。佈景乾淨俐落，帽子隨著路軌轉動時很安靜。魯師傅提醒了我，原來從學院走到專業的劇場裡，是可以發揮自己的想法，使我日後更加大膽。

潘： 你其他的設計是否都是找魯師傅合作？

曾： 我大約八九成的設計都是找魯師傅的，因為彼此建立了一個關係，而且我也需要和製景師有良好的默契。有一點很關鍵，一九九七年正經歷一個大時代下的轉變。我們設計《鄭和的後代》時，仍是在魯師傅於火炭的工場裡製景，往後數年他的工場已搬到內地，他也在轉變，大家都在適應一個轉變的環境，觀察劇場可以如何通過舞台美術表達出來，所以期間一定會遇到很多困難。我想像他要運作如此大的工場，其實需要牽涉很多人事、不同部門的協調。

初期我們不是很體諒，覺得為甚麼佈景成品會這麼難看、跟想像不一樣，表面有很多污漬。近幾年我再重新思考，以我這二十多年來的觀察，他其實是遇到了很大的挑戰，他也不想在內地做好的佈景，運到香港時會變成這樣，但經過運輸或是重新搭拆，那可能是必然會面對的問題，我們有時卻會懷疑質素是否降低了。但以我認識他那麼多年來說，他是有要求的，也有獨特的美學眼光。我覺得是因為很多環境因素的影響，以致成品不是很理想。

在個人方面，我們的關係變得好像是很要好的朋友一般，當然他對我來說也好像是一位師父。由我畢業到現在，他看著我成長，甚至成全了我很多設計。有時我們天馬行空地構想設計，他也會一起思考，覺得這樣的設計才有挑戰性。大家一起在過程中探索，有些時候需要慢慢磨合。

潘：　你剛才說你在設計上更加大膽，可能有很多成功或失敗的例子，可否試舉一兩個例子？

曾：　很多人認識我的設計是從《兩條老柴玩遊戲》開始。我自己覺得那個佈景很難造出來，因為需要凌空吊起一個浮在半空中的巨大圓圈（圖一）。我自己都在疑惑：究竟可不可行呢？那條吊著圓圈的「wire」會否太顯眼、不好看呢？魯師傅看了之後很喜歡，一向他都很喜歡有挑戰性的設計，會想盡辦法把它製作出來。

我覺得要讓一個設計能夠在觀眾面前表現出來，要靠三方面的配合。第一是設計師的想法；第二是場地，有些設計不能在某些場地出現；第三就是製景師。這個三角關係，如果其中一方面沒有投入、認真看待，都不能成全那個設計。

潘：　之前有幾個訪問提及到，當魯師傅接到一個設計時，他會思考技術上應該怎樣實踐。我覺得這件事很有啟發性，一般人可能以為製景師傅只是負責製作，但原來他要解決很多技術問題。我也看到他在這方面的熱情如何幫助實現了許多設計。以你對行業現況的觀察，對魯師傅離世以後，設計師和製景業界的合作關係有甚麼想像？

曾： 我想你剛才所說的熱情、熱愛不是人人都有。魯師傅的熱情、熱愛使他投入看待劇場，甚至他不是以做生意的角度去計算回報。你說往後，會否需要有多一個「魯師傅」出現？我不知道。

但是，現在整個行業很多時候都以投標的形式選取製景公司，投標是很實際地計算成本，我覺得這和魯師傅的理念有很大分別。當然他的理念和做法造就了我們很多設計想法，但很多人會問他這樣做會否太偏頗，有時他會遷就我們的預算而降低價錢，使得設計師的想法不太現實。我也同意的，因為會讓大家覺得原來這樣便宜的價錢也能做到。我覺得魯師傅是一個參與者，參與在表演藝術的演出裡，我也不把他視作製景廠或公司來對待，但未來似乎很難再遇到像他這樣的人。

潘： 剛才你提及，工場由火炭搬到觀瀾，你從旁觀者或是合作伙伴的角度去看，魯師傅在這個階段，在他個人、製景技術或是和設計師的合作方面，有甚麼重要的轉變？

曾： 我覺得比較有趣的，是我們相處的時間比較多。我們到內地看佈景就要花上一天，他對我們的照顧很周到，殷勤招待，大家關係很密切。雖然我們也會多花了時間待在內地廠房，但是我們可以更加認識他，可以看到他整個製作的脈絡。這些是以前看不到的，因為以前看佈景，就把佈景放在地上拼好，大約知道是甚麼顏色，便會入台。我們現在可以看到整條生產線，便會想一想哪些東西可以進一步發展，例如知道了他這台機械的功能，便會思考下一次是否可用來造佈景，眼界會闊很多。

他很想精進佈景的質素，很想他的製景廠可以很有系統，甚至因而可以服務香港整個表演藝術界。當時他剛把廠遷到內地，還在尋找運作模式，例如一開始他沒有細分木工和美工，之後他又會思考如何劃分一個地方專做美工、哪一個地方專做雕塑，不斷慢慢邊看邊改，使得他的廠房愈來愈有系統（圖二）。

潘： 你有沒有試過在廠房裡排戲？很多人都說搬到觀瀾後，整個演出團隊可以在佈景下試戲，甚至排練，這對於你的設計有甚麼好處或壞處？從中怎樣影響了你的設計？

曾： 來到他的廠裡是有好處的，因為我們可以親眼看到實景。我們會去很多次，導演、燈光、設計、助導都會一直留意在排練期間有甚麼需要調整，當然我們不會大幅修改，只會改動細微的地方，例如應該在哪裡開「Trap door」(暗門)。坦白說，我們做設計的都是在不停摸索，導演、設計師先是構想，然後初步製作模型，但模型不是一比一的，直至看到一比一的佈景時，才發現原來有些部件太大了，需要縮小。魯師傅會容許這些調整的空間，當然他一開始會問為甚麼要這樣調整，討論時他不單著眼於設計師的想法，也會思考這個表演是否需要這些調整，如果有需要他就會配合。這對設計、對導演、對他都是好的，使得在真實舞台上的呈現會更加有機。

潘： 你剛才提及的《兩條老柴玩遊戲》，是否你們合作的代表作？還有沒有另一些比較有代表性的作品？為甚麼？

曾： 或可算是一個代表作，因為正如我剛才所說，要大家合力才能成全一個作品。我做了很多設計，不會是每一個都很成功，因為需要演員、燈光、整個節奏、製景等的合作，以我多年的作品來說，各個方面都能做到的演出也不多，《兩條老柴玩遊戲》是其中一個。

還有另一個作品也很有代表性，是二〇〇七年在西安的華清池請我設計大型史詩的實景演出《長恨歌》，當時西安市旅遊局來與我洽商，投資額很大。基建的部分已找了一間在山東生產火車的公司負責，因為那些基建龐大複雜，需要對機械有豐富認識的公司，才會知道怎樣設置一個三十米乘以三十米的平台在水面升降。除此以外，我們還有很多道具，我便找魯師傅商量，請他考慮接下製作。這可能是他第一個與內地接洽的製作。在西安，他們多數找北京的製景師，他們也有介紹給我，但我覺得都不能達到我的要求，於是大膽問他們可否請我自己相熟的人。他們說可以，做得好就可以了。

曾： 結果魯師傅負責部分佈景，及所有道具，內地單位也讚不絕口，直到現在每年的維修都是找魯師傅負責。當時造了一棵開了很多花的樹，他們說從來沒有見過造得這樣仔細的，那些花盛開的樣子真的很漂亮，這些還要是戶外佈景。在戶外環境下有很多挑戰，製作木工、金工、器械時不能以劇場的角度來思考。魯師傅幫了整個項目很多，很多手提道具，還有一對金獅子，這些工夫都是我從來未見過做得如此精細的。那便是當時一個很重要的作品。

潘： 剛才你提及，魯師傅本身對於美術很有要求，這也影響了他如何看待和你們的合作。對於你來說，製景師傅如果有美術背景、觸覺，在和你的合作上，或者在發展劇場的美學上，重要之處在哪裡？

曾： 他在美術上有老練的造詣，這對剛畢業的我們的重要之處，就是他會改動或補加些東西，以成就你的設計。當然我們看到這些改動，就會思考背後的原因。我覺得他有時候會有兩個角色：製景師和藝術家。從藝術家的角度，他如果覺得你的構圖、整個形態做出來頗有感覺，他就會接下這份工作。我覺得他一直在拿捏一個平衡，他不是不尊重設計師，相反他十分尊重設計師，他會提出意見，與你商量。

美術以外，有些方面我們更不認識的，例如機械，我們不知道可以做成甚麼樣子，轉動、上升的速度、如何設計裝置使得運轉更順暢，他都會嘗試很多方法來實踐。和他合作了二十多年，他到了這個年紀還在不斷進步，不會被框限於某個位置，而是會嘗試用不同的物料，挑戰不同的工作，看看會產生甚麼效果。

潘： 你們有沒有試過發生很大的爭執？

曾： 真的很少。首先我不是很容易發脾氣，但在合作後期都會疑惑自己是否要求高呢。他經常說我要求高，我一到廠房，那些師傅就好像會覺得「他來了，曾文通來了，你要做好他的東西」。但我到了某個階段，覺得不應該這樣思考，應該是大家一起進步的。正如剛才所說，他處於探索的過程中，我們可不可以包容他，容許他在廠房正值轉變的時候產生這樣（不太理想）的成品出來呢？所以在大部分的情況下，我們不會有爭執，更不會在劇場裡吵罵。

但在後期是有的，那時我才漸漸發現他身體不是很好，需要他的女兒和女婿去幫助他，例如他們會代為監督裝嵌，有一次佈景到港時的狀況非常不理想，花了一個通宵執修也未能達到要求。那一刻，因為魯師傅不在，所以我們沒有爭執，我和PM跟他的女兒討論：為甚麼會這樣？為甚麼我們在廠裡看的是那樣，來到香港卻是另一回事？那是近幾年的事，其實我很想了解他，但當時我又真的不知道原因。

後來，我和他合作的最後一個設計，是一個學校演出，在此之前他已經很久沒露面。我們在一間餐廳裡討論整個演出的設計和報價，他一來到就說他在剛剛那一年「死過翻生」，曾經入院治療，當時很多人以為他快要離開了。那次報價就是我最後一次和他見面，他當時看來很健壯，差不多在過年後，他就離開了。那次見面我印象很深刻，我勸他不要再亂吃東西，要好好保重身體。那時已經不是在討論報價，他告訴我那一整年間他的身體變化，只是在分享他自己的經歷。那一刻，他好像一個很久不見的親人，在訴說最近的生活。這是和他比較私人的相處。

潘： 我想對你來說，那次見面其實也有點令你吃驚，一個和你合作很久的師傅，突然之間告訴你，他過去那一年經歷了那麼嚴重的身體狀況，而可能很多行內人都不知道。

曾： 可能其他行內人不知道這件事，我也沒有問，因為他跟我說，他只告訴我一個人，那我當然會替他保守秘密。他把服用的藥物告訴我，我就知道這件事不是那麼簡單。他說他一直都在醫院裡，他的拍檔都很緊張。我聽到之後很驚訝，當時沒有機會好好探望他。

潘： 你和魯師傅合作多次，有沒有一些特別的原因令你想繼續和他合作？

曾： 應該這樣說，我也有想過不與他合作，因為有一段時間不了解他，覺得為甚麼在內地製作的佈景運到香港會是這樣不理想，但又覺得彼此好像有很緊密的關係，他很了解我，很清楚我工作的方向。我記得，有一次他接受訪問（提到我的作品），沒有人比他更能清楚解釋我的作品背後的想法。我時常把他的話抄寫下來，發現自己的作品原來是這樣的。我覺得這個關係很重要，彼此建立了那麼多年的默契，雖不會每次都百分之一百會成功，但每一次在想不再與他合作的時候，最後還是會找他幫忙。他真的很容易溝通，不是那種「拍膊頭」（看在交情份上）、不是說他「很易話為」（好商量），也不是說他的價錢很相宜，可以遷就你的預算，而是他很認真去對待這個行業。我覺得要把佈景設計實踐出來，不是單靠我自己一個人。

陳： 你作為設計師，覺得香港在場地的建構和配套有沒有欠缺了甚麼，或是曾經有出現過甚麼東西卻又消失了？因為我們從很多訪談中看到魯師傅對這個行業的愛，或是成就了這個行業內大家的理想，他很想參與其中，填補了很多空白。但我個人覺得這些空白好像不應該由一位製景師傅去填補，無論預算也好，硬件也好，我想請問你覺得在這個情況下，這些空白是甚麼？這些空白又是否曾經被填補過，或是我們未來應該多做點甚麼？

曾： 我們視他為一間公司，而不是一個藝團，如果我們視他為一個藝團，其實按照他這種投入方式，我們應該為他提供一個製景場地。如果有一個製景場地，香港整個表演藝術業界的發展會完整很多。魯師傅在此填補了很多空缺，他很想香港的小型劇團有生存空間。事實上有很多製作就是差一點點才能成事，需要他幫忙；只要在他能力範圍以內，他多數都會幫忙。他很愛這個行業，相反我們不是很愛他，沒有爭取一個空間讓他發展，而他在內地不斷拼搏，遇到很多問題，自己默默地解決，我們卻問：你為甚麼會這樣？

我們當時真的不明白，他經歷了很多事情，沒有跟人說。但其實運用常理也可想像，你在內地製景、拆件，運到香港，然後重新裝嵌，一定會有問題，在內地製景的師傅和在港負責裝嵌的師傅是兩班人，而且我們也只有一兩天來搭建佈景，但我們沒有好好體諒他。所以我覺得要重新思考整個機制裡，是不是需要在香港提供一個場地給製景師呢？

劇場發展到現在，演出需要的不只是一個佈景，而可能是一個很複雜、可以移動、有機械組件的佈景，如果要從整個行業的發展去考量，是一定需要製景的工場。剛才說，設計師、場地、製景師，這三者的關係是很重要的，為甚麼我們不投放更多的資源給製景？我們需要重新去問這個問題，但不知道有沒有能力可以爭取得到。

潘：　你是行內資深的設計師，有份參與發展香港劇場上的設計美學，甚至近年你也有擔任導演，以你觀察，香港劇場有沒有一些美學特色？或者是年代發展的轉變或趨勢？

曾：　有些地方的劇場美學是可以明確看到的，例如英國，自有一種感覺，一看就知道。美國、德國、俄羅斯的，都可以很清楚看到。首先，我們要問有沒有需要建立香港的劇場美學，可能不需要也說不定。而如果我們真的需要建立一個劇場或舞台美學的時候，要根據甚麼去發展？

二〇〇〇年魯師傅出了一本書《香港舞台二十年：一百台布景寫真》，當中記錄了歷年來很多設計師的作品。從中可見其實他參與了整個香港表演藝術美學的發展，例如在戲劇方面，他早年都是為比較寫實的劇目製作佈景，漸漸我們接收了很多外國的資訊，對外也參與或觀看很多國際的展覽，加上資訊發達，也會嘗試模仿外國的設計，應用於香港的演出中。

曾： 我認為香港的設計美學還是在不斷摸索中，仍未看見一個很清楚的脈絡，那麼這個不清楚的脈絡會不會也是一種脈絡呢？會不會是這些不同元素的集合就成為了現在的特色？但我期望有一個風格能夠讓人容易明白我們在做甚麼。這要花很多時間，外國的表演藝術發展不止經過幾十年，而是經過很長的時間，才慢慢形成現時的體系、美學。香港發展的時間很短，究竟我們要用多少時間去探索，才能形成一個比較清晰的美學呢？

我覺得比較東方的方向是頗適合的，東方的哲學可以融入應用在劇場的佈景和精神裡。一些西方的劇場工作者看到，會覺得這種味道是他們做不到的。我們有時會模仿他們做的東西，但那些東西始終沒有我們的獨特性。我們做得到的風格可能是很禪意的空間，他們捉不住那個感覺，那可能只有我們才能發揮到(圖三)。我不知道香港的劇場美學會不會走向這個方向，但期待至少可以有一個比較鮮明的方向讓人觀察到。

潘： 你剛才說東方的美學，我相信這不只是一個獨立設計的存在，因為它牽涉到整個作品本身的方向。你覺得這個美學是不是在並行發展中？當設計師有這樣一個意念時，行業裡不同的創作人是不是都有這樣的想法而一起並行研究探索呢？

曾： 遇到的很少，自己都會從比較東方的想法或哲學去發現舞台空間可以如何呈現出來，但遇到有共同語言的導演、編舞的時候不多，而且整個製作不是以我為主，我很多時候都是在配合，那麼每個製作是否都適合用這一種味道去表現呢？有時未必，甚至當要勉強套入演出時會發生很多衝突。例如演出使用了很多言語，佈景太有詩意、太過簡單，在空間上又未能塑造適合演出的環境時，兩者好像無法融合在一起，觀眾未必能夠全面接收演出的意涵。

這個問題是否需要從我們整體的發展重新去問呢？你在問舞台美學或者美術的方向，其實是否應該去問表演藝術的方向呢？回到你有關劇場美學的問題，發展劇場美學就是要回到表演藝術本身，而我們可以如何協助它表現出來。

潘： 你當年在HKAPA讀書的時期，課程是否叫作「佈景設計」？

曾： 是「佈景設計」，我們叫作「Set & Costume Design」（佈景及服裝設計）。

潘： 近年我們提及到「scenography」，由「set design」、「costume design」到「scenography」，以至更宏觀地說表演藝術美學，你怎樣看這些不同的面向？

曾： 「Scenography」涵義比較廣闊，是形容眼睛怎樣對待整個畫面，基本上是眼睛看到的任何東西。我覺得有一個字內地形容得很好，即是把「scenography」叫作「舞台美術」，因為它就是一種美術。我覺得「美學」較為形而上，甚至是觸及了一些哲學的層面，相反「舞台美術」比較實際，就是在看這個舞台美術的佈景比例、顏色等，大部分人都是在看這些東西，我們不會一開始就要分析舞台美學是怎樣的。如果有人真的這樣說，我也會有一個問號：那你要看甚麼？是否和整齣戲的表現方式有關係，而不是純粹在看這個設計？當然，兩者總有關係，是緊密扣連的。

「Set design」會清晰得多，很多時候我們寫在場刊上的崗位都是「佈景設計」，很少會寫「舞台美學師」。「舞台美學師」是做甚麼的呢？其實也不清楚。基本上在歐洲也不用這個字，寫在場刊的還是「set design」。

如果是「scenography」，就好像是電影中的美術總監，而不是美術指導。美術指導是在美術總監轄下，做一些很實際的東西；美術總監則是和導演一起進行較宏觀的思考，例如討論鏡頭的運用。有時我們會弄不清楚「scenography」這個字，或者說它的出現尚未成熟，致使我們不肯定它是甚麼。

當然我們要考慮是否真的使用這個字，如果要的話，就要推廣這個字的使用。這個字可能是從比較文學性、哲學性的方面著眼，底下有不同的東西，一個叫服裝，一個是道具，一個是佈景，還有燈光都是包含在「scenography」裡。但譬如如果我們現在有燈光、佈景、服裝，三個是否都叫作「scenography」呢？我們就不知道了，這需要將來再下很多工夫去弄清楚。

潘：　當中是否包括製景？

曾：　如果魯師傅在的話就算，魯師傅不在的話，我就暫時不當它是。因為魯師傅是從那個角度去看待佈景設計，他自己也有參與設計和製作，所以他可以算作是參與「scenography」。如果製景師也算是參與「scenography」，那還有誰會是？還有誰不是？這又是很複雜的問題，那麼我們又怎樣推廣給大眾呢？或我們需要做一些相關的教育，讓人知道。

潘：　教育可以讓人知道「scenography」之外，是否可以培養更多好像魯師傅這樣有美術或美學觸覺的人呢？

曾：　我覺得很難，那些事是天生的，他那種熱情很難培養。他的熱情、投入、不計較，我們是不能要求別人這樣做。剛才你問是否可以傳承到魯師傅的特質，我真的未能肯定，因為還沒有遇到一個以同樣態度去對待這個行業的人。

潘：　剛才你說的「scenography」，其實是在處理空間。最近有些朋友說他的職位是「空間設計」，對此你有甚麼看法？

關於空間，當然牽涉到演出場地，你看到香港現有的劇院或是可以演出的場地，是在成就、規限，還是在某程度上形塑我們現在所說的舞台美術或美學呢？

曾：　這裡有兩個問題，一個是空間設計，其實我也不是很明白，「空間設計」究竟是在設計甚麼。人的身體裡都是空間，是不是連那個空間都需要設計呢？你需要自己思考，自己決定哪些是空間設計。我們以往也有職位叫作「installation」（裝置），即是在劇院裡去做「installation」，那很清楚，「installation」其實是一個流派，當年是一個藝術思潮。我覺得為甚麼會出現空間設計，是因為有時無法定義、命名自己的工作，總之和空間有關的都由你處理，我都遇過這類情況。我覺得是時候嘗試釐清或統一這些職位名稱，讓一般大眾明白這個崗位是做甚麼的。

至於場地是否局限我們，還是讓我們使用得得心應手呢？場地是一個很複雜的問題，限制一定有，而且是必然的，沒有限制就不是場地。由我剛畢業到近年，場地的規則不統一，一個劇場可以做這件事，另一個劇場則不可以做，我們會問：為甚麼呢？這是不是由該劇場的經理決定？近來我有個學生，他在康樂及文化事務署（康文署）工作，他說現在有一個新的想法，要統一規則，例如如果這場地可以點火，其他場地都可以點火，點火的做法亦要一樣，全部規則都計劃以這個方向改變。

但場地的限制，其實令我更有創造力，有時沒有甚麼限制，我會覺得怎樣做也可以，但如果說不行，例如後面二十條「bar」都不可以吊下來，這個限制就會令我重新思考可以如何解決問題。很多人則會覺得這是種障礙，覺得為甚麼不容許他們這樣做。但長遠來說，當設計師有很多想法，即使製景師可以做出來，但劇場設施未能配合，可能是太重不能吊上去，那就是個困難。

記得當年葵青劇院開館，我負責設計《動物農莊攪攪震》的佈景。對於設計師來說，開館是最「危險」的，因為可以試用新設備。但那一刻我決定只用台口至台中間約六米的空間，轉過來給自己限制。我覺得在這個空間裡還有很多可能性可以發揮、發現。我們多數會埋怨為甚麼要這樣限制我，而不會再去尋找還有甚麼可能性。當然我覺得兩者是要同步的，這是我給自己的限制，或有時是劇場給我的限制，但設計師是不是同時可以選擇沒有限制呢？但在很多情況下是不可以的，因為一個劇院是由很多組人一起運作，他們都要溝通，這個溝通也算是很複雜，所以我覺得劇院目前的情況都可以接受。

朱：　你用過香港不同的場地，各個場地有不同的大小、限制、好處、壞處，有沒有一個場地的限制是有好處的，或是有一個場地真的限制了你，令你有很多事情都做不到？

曾： 我覺得有最大限制也最具挑戰的是香港文化中心劇場。因為它很適合進行探索，但進去後又會明顯看見裡面的天橋、顏色，太有特色，我們是否需要特意去遮掩這些東西？它又有很多不同的觀眾席面向，我覺得每次進去都要重新思考。它會帶來一個很大的困難：究竟是要觀眾很疏離，還是要觀眾很投入呢？你是想觀眾明確知道這是一個劇場，還是不知道，然後讓他在幻想下進入那個演出的世界呢？那種出出入入的關係，在這個劇場裡是很好玩的。對我來說，當我每次再做（同一個場地的）設計時，會細心思索，如《兩條老柴玩遊戲》曾在那裡以一面台方式演出，我絕對不想重現一樣的東西，我會思考我還可以在這個劇場裡，發現甚麼未曾被發現的可能性。

陳： 可否分享一些不是康文署的場地？例如「香港話劇團」（話劇團）的黑盒劇場、牛棚藝術村（牛棚）、壽臣劇院等這類場地，對設計師來說，會不會是比較理想的場地呢？它們可能有較大的靈活性，同時間可能因為小型而有一些限制，所以想請你分享一下對於非官方場地的觀察。

曾： 不如我舉個例子，我在牛棚做過很多設計，其實在牛棚做佈景設計是很難的，因為進去後看到的建築很突出，你要問你到底要改造它，還是與它融合？要怎樣與它融合？要擺放多少東西進去？很多人就會問，這樣設計佈景是否真的算是在做設計呢？

我記得為「前進進戲劇工作坊」（前進進）的《4.48精神異常》（*4.48 Psychosis*）設計佈景時，看到劇場內部有很美的建築，那些柱、頂，本身很符合演出的本質、狀態，我覺得不需要遮蓋所有建築，於是我只用白紙在整個空間圍了一圈，中間有一張椅子，上面有一盞燈垂下來，我就完成設計了。我通常進去這些空間時，首先會在能量上與它結合，坐下來感覺一下，多花時間與它聯繫。那時在牛棚感覺很舒服，覺得其實可以甚麼都不做，一張椅子放在觀眾席前已經很有張力。我多數在這些空間裡都會放比較少的佈景。當然正如你剛才所說，因為它不是正規的劇場，所以有更多可以讓你發揮或發現的空間。那張椅子放在那裡已經完成了整個佈景，只需要考慮選擇那是一張怎樣的椅子、那個燈泡的形態是怎樣的，但有很多人不會去看這麼細緻的東西，他覺得進去後看到的舞台好像很簡陋，很少人會去看設計者之前經歷了甚麼，他和這個空間所產生的對話是甚麼。

我曾經和幾位朋友在龍門大酒樓做過一個演出，那簡直不能叫作是劇場。我們在那裡做了一個音樂劇。有時在這些場域特定的空間，把我們的內容放進去後，其實已不需要再做很多東西，因為它已經被放置在對的空間裡。

陳： 但在牛棚設計是否無需要和魯師傅合作？

曾： 其實我也曾和魯師傅合作過一個在牛棚的演出。有一次，我設計《胎內》的佈景，地上鋪了一幅山水畫，在山水畫的虛實之間，放了數塊石頭進去。即使你可能會覺得這麼簡單的東西就不用找魯師傅吧，但其實更加需要他幫忙，因為他不只做大佈景了得，小型製作也做得很好。

朱： 對於你來說，魯師傅是否不只是一個製景師？你會否把他當作是一個創作的伙伴，一個很能夠溝通的藝術家呢？

曾： 我絕對把魯師傅當作是藝術家，因為他有藝術家的脾氣。我很尊重藝術家的，而且覺得和他很合得來。我們有時會從美術的角度討論設計，所以在他的想像裡，他每次給你的意見都是精華。他雖然有自己的脾氣，但都會把決定權放在你手上，讓你自己選擇。我多數都相信他，雖然我設計了可能超過二百台佈景，但一定不及他多，他可能做了一千台。每次入台他都會到場視察監工，有時他完成搭景後看演出，便知道某種燈光射下來會有怎樣的效果。所以與他經過這些溝通後，我覺得他真是個頗偉大的藝術家。藝術家有少少脾氣是對的、需要的，但有些藝術家也很包容，我覺得他兩種特質都兼備。

曾：　還有一點很重要，他在內地製景時，有兩個很好的拍檔，是他廠裡的主管和專門負責美術的員工。剛才說魯師傅是從藝術的角度看待事情，那個主管則會處理很「實際」的東西，他們互相配合得很好，這三人組合使得佈景能夠呈現我們的想法。他知道我的要求，會相應調整一些東西，而我也會順應他的製作特色和能力調整設計。製景廠和製景師其實都有自己的特色，先不說美學，只說能力，因為我們都可以彈性更改設計，可能也不是太大影響。我們從經驗知道這些成品運來時的狀況未必很理想，便會從設計開始已經打消念頭，不去做那些以目前能力未必能夠實踐的設計，只是偶爾才會挑戰一下，例如《風雲》那像白紙被剕了三刀的設計（圖四）。

潘：　你會怎樣形容魯師傅，或是他的廠房的特色？

曾：　我覺得是既有系統，又沒有系統。我不知道是不是因為他有很多部門，而不同部門又有自己的風格。整體來說，有行政大樓，廠房內分為鐵工、木工、美術，還有一個辦公室可以用來討論佈景製作。有些工場很整齊，擺放的、掛上的東西都有清晰分類。魯師傅開始經營時也有這樣做，但慢慢地，可能隨著不同的主管、工人來到廠房，他容許它隨著自然的狀態轉變，很有趣。這些就是我的觀察。

潘：　可否分享你在香港大會堂的展覽？

曾：　這也是關於我和魯師傅比較私人的關係。大會堂四十周年時，邀請了我去做一個展覽，在入口旁的角落的空間展示我的作品，我很大膽地邀請魯師傅幫忙製作，在那裡呈現我的想法。那不是我們一般在劇院的佈景，是要把作品放在地氈上，公眾可以近距離觀看，需要小心選取物料，不同於在劇場裡觀眾只能遠眺，不用太在意物料。他用了一些很便宜的方法，而做出來的效果，很多人都很欣賞。

這個展覽對於我整個設計生命很重要，而他成全了這個展覽，如果沒有他製作的白色盒子就不能成事。那個盒裡有很多不同的模型，我把一些紀錄，包括有關魯師傅的，放進盒裡，例如《無好死》（圖五）的設計有很多一條條的杉木，當時我從魯師傅的廠房收集了一條杉木，展示出來，觀眾看到就知道原來這個設計的構想是來自於這條杉木。關於後期的作品，我改為拍照，拍攝他廠房的地下、那些牌匾，我們不是記錄得很細緻，但一有時間就會去拍照，一方面是在記錄我自己的設計，另一方面是在記錄他，所以那個展覽是和他一次重要的合作。

陳： 你說舞台上與觀眾有距離，而展覽是很接近觀眾的。這令我想起，疫情之後很多錄影的演出，要在高清鏡頭下將舞台呈現出來，在這個情況下，接下來香港的劇場在舞台設計方面有沒有一些挑戰呢？可能是因為有特寫，或是鏡頭語言需要混合舞台語言一起發展。

曾： 我很早就在思考這件事，而不是因為現在我們需要近鏡拍攝。魯師傅一定會知道我的要求，板與板之間的接口位要做成甚麼樣子，這一塊塊磚頭要怎樣製作才可使得近看時也沒有問題。我是很關心這件事的，我會在設計初期已經思考如何把它造成無縫的，而且出現的質感在遠看近看都會是舒服的。

關於你剛才提及的問題，現在的問題不是因為近鏡拍攝演出，而是因為我們看佈景也要在熒幕上看，所以我們也看不準，出現很多落差，而成品到港時我們又沒有足夠時間修補，再以現場直播演出時，就暴露了很多質感、接口位的問題，這靠任何燈光都不能解決，只要小小的燈光就會暴露出問題，這些完全和模型是兩個世界來的。

但現在不只是現場直播的問題，而是（在疫情下）監工佈景的問題。我最近也要面對這些情況，有的工場說他們有很多部攝錄機，可拍攝到任何角度，其實我都不大相信，我只相信我前面的工夫要做得足——把全部樣本給製景師，清楚展示物料要怎樣拼合擺放，可能到時成品仍會有落差，但不會相差太遠。這的確是要關注的事情。

潘：　你覺得現在學院的訓練能否銜接到行業的實際需要？

曾：　這個問題一言難盡。我們所謂的學院派是需要的，因為它提供了製作步驟的指引，例如從設計師收到劇本，到最後給觀眾看到成品，每一個步驟都很清楚。我覺得這個脈絡，叫作傳統也好，與實際環境有很大的差別。你不會有一個魯師傅在學校裡和你討論，而魯師傅能夠與你比較深度地討論美術、美學那個層面，讓你知道自己的不足，並告訴你這個設計做出來是怎樣的。

我覺得學院是一個基礎，而從基礎出來是一定要改變的，任何一個學院派都需要一個適應期，可能是一、兩年，甚至五、六年也說不定，因為外面的環境一定與學院有很大的落差，以往的製作時間很充足，甚至整個環境會幫助你實踐想法，而現實的環境會有很大的變化，你的設計一定要有足夠的應變能力或者彈性，才可實踐出來。所以我覺得，從學院出來的同學必須要開放，不能用自己那一套直接應用在實際的環境、專業的環境。

我也曾在剛畢業後的數年裡經歷這個過程，而我真的很慶幸遇到魯師傅，他可能是我離開學院後的一位老師，一路帶著我走。美術其實是人生的哲學，學習人生的哲學就是你看著他怎樣做事。他沒有甚麼所謂，很願意幫人，我們常常說他的名字「義」即是「義氣」，你可以看到那個「義」字就寫了在他的額頭上，這種就是身教。有時不用說話，他也可以讓你不用擔心很多事情，而且看到他遇到那麼多問題他都不擔心，他都可以去解決，不會指示你怎樣做，而是透過不停和他合作，學到這些東西。

潘：　學生畢業後可能需要很長的適應期，回頭來說，在學院的訓練是否可以銜接、可以更貼近行業實際操作的情況呢？

曾： 我覺得需要邀請製景師來帶領一些課程，不是說一個講座，而是說例如設立一個為期14堂的課程，請他們來告訴學生實際製景的運作，當然這套東西可能與學院原有的製景方法有衝突。但我覺得這類課程是有需要的，因為有些事情不動手做是不知道的，不知道原來佈景後面的支架不需要這樣複雜，製景師幾下工夫就可做到；不知道現實不同於在學院時，佈景製作完成後會移到旁邊的劇場，而是需要思考把佈景拆件放進貨櫃裡。

這些都需要計算，如果我們有這種訓練，思考佈景的方式就會不同。我們不是不想這樣做，而是沒有人告訴我們要這樣做，結果我們真的天馬行空、不切實際，例如製作很大張紙出來，然後請製景師完成它，運到港時就發現有很多實際的問題，而很多時候我們都覺得是工場的問題，但原來是我們沒有足夠的經驗去理解製景的整個步驟和裝嵌的方式。所以我覺得這類課程是必要的，需用任何的方法……最好是課程，就算是講座也好，有數堂的演講讓製景師講解製景的實際運作，這會幫到很多同學。

潘： 在魯師傅的廠房，或其他公司有沒有製景方面的實習計劃？

曾： 有，魯師傅都有設實習計劃。之前我有兩個學生到內地兩個星期，他很開心，訂了酒店給他們，他們每日去繪景，觀察他怎樣做事。當然他們只能協助一些簡單的部分，但魯師傅不介意，因為他很想訓練學生，很想有人承接，他看到這是個機會。一般的公司都會覺得實習生很礙事，認為自己公司要運作，卻又要花時間教你。魯師傅則很開放，還很用心教他們。那兩個學生後來告訴我他們的實習經歷，他們說是享受來的。

潘： 但結果他們也沒有到魯師傅那裡工作，而且過往好像不是很多學生，甚至可能是沒有學生，會在畢業後到魯師傅的廠房或其他製景公司工作，大部分都是入職商業機構，看來這個行業未能吸引學生投身。

曾： 可能在比較之下，他們不會選擇去深圳，何況是那麼長的時間，而且他們看不到可以從魯師傅身上學到的東西，他們不知道要在那裡做些甚麼，但其實有很多不同方面，可以學到的東西就更加多。

我想，很多人都會選擇留在香港，甚至去外國實習，我也不知道那兩位同學為甚麼會這樣勇敢、這樣聰明，知道要到內地跟魯師傅學習，期間他們真的學到很多。不是每一間工場都會這樣自由開放，把內部運作暴露在你面前，甚麼也讓你看，問甚麼也會回答。

我覺得可以鼓勵現在在學的同學去思考製景作為事業的可能性。當中不只學習製景或繪景，也可學習這樣規模的廠房是如何運作的，這其實牽涉管理的學問，是一門專業。

（圖一）劇場組合《兩條老柴玩遊戲》（1999）

（圖二）魯氏美術製作有限公司位於深圳觀瀾的製景廠

（圖三）普 劇場《火之鳥劇場版—八百比丘尼》（2001）

（圖四）香港舞蹈團《風雲》（2016，重演）

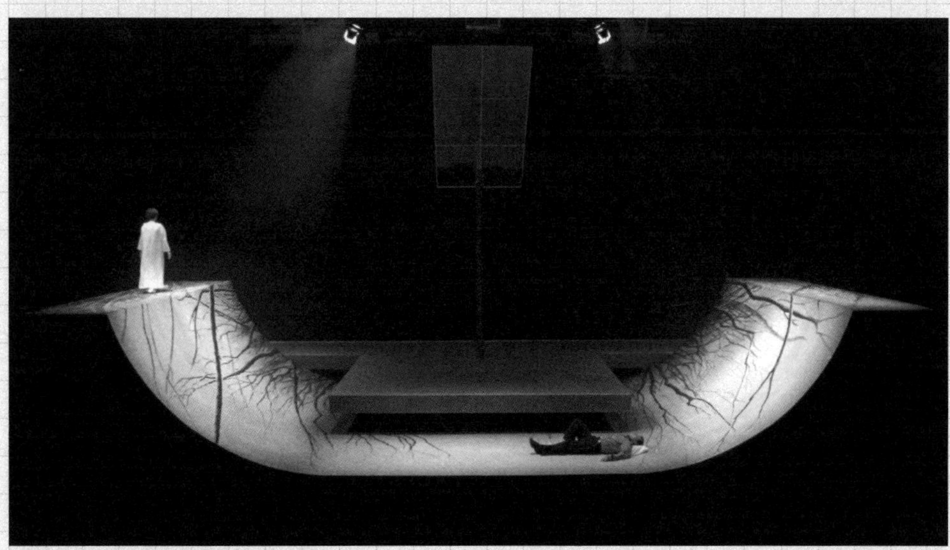

（圖五）劇場組合《無好死》（2000）

（右）何應豐

有問題就是麻煩？舞台製景與劇場發展

日期：二〇二一年四月四日

時間：下午一時至三時

地點：香港話劇團排練室

訪問：潘詩韻（潘）、朱琼愛（朱）、陳國慧（陳）、林喜兒（林）、李浩賢（李）

分享：何應豐（何）

整理：葉懿雯

潘： 你和魯師傅的淵源很深，不如這個訪問就由你和魯師傅怎樣認識，以及早年一些有趣的故事開始。

何： 八十年代，「中英劇團」（中英）聘請了我擔任其首位全職駐團設計師，職銜是「associate designer」（助理設計師），除了幫忙設計，也會幫忙導戲。當時我剛從美國回來，不太熟悉香港，發現香港（表演藝術界）還未有一個職業化的運作模式，而大部分製作，很大程度受到六十年代啟用香港大會堂後的一種業餘運作模式影響。有人介紹我找魯師傅製景，當時我只是覺得他作為製景師，應該有一定的條件，怎知道原來他們都是「hacker」（新手）來的，都是邊摸索邊找出路的製作人。當時我有一個設計，是要把整個佈景收納在客貨車裡去巡演。當時幕後人員說沒可能做到，那我就和魯師傅一起想辦法。他雖然是做生意，但同時也很愛藝術。我發現他有一種在香港比較少見的特質——香港人常說自己很快就能適應環境，做事「快靚正」（成效高），很有小聰明，但我在他身上，反而有一種不熟悉但又令我很好奇的感覺。

經歷了那一年的所有大小製作，我發現原來我（在心態上）要有很大的調節。魯師傅的廠房和我心目中的製景工場完全是兩回事，所以也不敢有太多幻想，只能學會適應。好在魯師傅有美術根基。我有要求，他又很喜歡別人有要求，他雖然口說「做不到的，何生（何應豐），做不到的」，但同時他又很好奇，很想執行和解決這些問題。單單是這種個性就給予我很大的信心。

雖然他當時的做法完全不符合正規舞台創作的水平。有人可能覺得聽來不太公平，簡單舉例，為甚麼香港的舞台佈景在「踩台板」時會發出噪音？原來因為當時的佈景製作都是業餘班底，多是流水作業、幫一些粵劇搭台，真正的舞台創作少之又少。和這些只是「搵食」（謀生）的「製景公司」溝通，說要上演兩天，它的佈景就真的只能踩踏兩天，到第三日就會塌下來。他們沒有考慮安全，也說不上有任何舞台美學要求。美工只說外在是不夠的，因為舞台創作牽涉聲音、燈光等各種東西，對沒有這個背景的製景師來說，他只會按要求做完。而製景結構全都不合規格，當時來說，有三天時間入台已經算是很好的了，很多時候都未能討論對安全、聲音、色澤等的講究。在這樣的文化條件和預算限制下，我們怎樣談論舞台美學呢？於是我要學會調節。我覺得難得的是碰上了魯師傅，他對我例如顏色、某些技術上的要求，有一個默契。

當時可以說是由技術官僚支配著香港文化的「市道」。我說「市道」，是因為那時「香港話劇團」（話劇團）、「香港舞蹈團」（舞蹈團）才剛變成職業藝團，只有職業的外在，未有職業的規模，所以他們的製作投標仍是價低者得。他們不會和你談論美學，對於你任何要求，只會覺得你很麻煩，幸虧有魯師傅跟我一起「麻煩」。記得當時我和話劇團提出不想再玩這個（價低者得的）遊戲，經理們堅持要這樣做，除非我能寫信解釋我的要求，於是我就寫了這些信。可能當時我也很幼稚，因為寫這些信可能會讓廉政公署懷疑我是否有相關利益，但我只有一個很簡單的心，想找最好的人做好一件事。但我發現身邊也不容易找到相信可以在體制以外尋求出路、可能性的人，而因為我這樣堅持也得失了一些朋友，我想是因為自己在當時有限的知識下，不理解香港的局限，也不懂得怎樣在限制下堅持一些事情。我是理解的，但到了今天我都沒有後悔這份堅持。

一說到投標，我曾經因為這種價低者得的模式，面對從未有過的惡夢。因為這些製作公司要賺錢，它們根本不講究，也不會和你討論製作的過程，更莫說美學上的要求，所以時常到最後我都要親自重新髹油。有一次我為舞蹈團製作一個演出，而我發現中標的製作公司「判上判上判」：價低者得的人都想賺錢，於是他們找了一間更便宜的公司來完成製作，而那間公司在搭建中途說沒有辦法繼續做下去，他們連錢也賺不了，嘗試了一天便「劈炮」（辭工）走了，於是要找人「打救」。魯師傅即時叫上了一班人，用一天多的時間把整台佈景重新搭建。這些事對我來說是很荒謬的，明明知道有個人可以幫忙解決問題，可是你就是要（因為他們收費便宜而）找一些根本不能解決問題的製作公司，最終整個佈景也就淪陷了。

何： 另外，我整個製作生涯中最大的惡夢就是《城寨風情》（圖一、二），這個佈景製作投標也是價低者得。而設計本身是想要營造一種充滿「垃圾」、廢墟的感覺，剛巧又遇上一個很沒有條理、不懂合成計劃的製景師。當時幾乎無法演出，我每天也膽顫心驚，驚怕佈景隨時會砸下來壓傷演員，我甚至覺得那次應該要取消演出。如果一開始就找魯師傅合作，這件事情可能不會發生，所以之後的重演我們都找了魯師傅幫忙。其實這是一個很好的例子，有沒有人願意和你一起討論製作是很重要的，而當時我沒有辦法和那個製景師討論，也可以說是我的經驗不足，不懂得面對一些「hacker」，而他們也只把佈景製作當作是一門生意。我想，那個經驗證實了魯師傅那種願意承擔責任的製景師很可貴，也因為那個經驗而讓我們的關係變得更好，讓大家知道他願意克服問題，不會覺得有要求就是麻煩。

我覺得很多人不會問這些香港舞台發展背後的事情，因為大家只覺得舞台是裝置，只是為了服務導演和某些人的媒介。而行政、舞台管理的工作，不在兼容理解各藝術方面的考慮當中。這個過程中牽涉到安全問題、導演想達到的美學，在有限的時間裡，他們永遠也搭不好那個佈景，那麼還剩餘多少時間去做好一個製作呢？這些都是任何一個城市，在進步的過程中必須要付出的代價。

今天的情況是否比以前好得多呢？表面上是，但這就回到我對魯師傅說的一番話：如果每一個人都只依靠你，這對整個城市都很不健康。雖然後來他有很多徒弟幫助他，但很可惜，他們沒有魯師傅的美學或藝術背景，我們只看得到他們的表面工夫。而他們也因此感到氣餒，覺得這是一門生意，想從中賺錢。其實我也嘗試過找他的徒弟做一些東西，但結果不理想，始終有些技術性的東西，不是一時三刻可以完全解決。慢慢就變成愈來愈多人要找魯師傅工作，魯師傅也仗義幫助過很多人。因為覺得有魯師傅來幫忙解決行政上的問題，於是大家就不需要面對現實的條件，一直忽視了問題的痛症。

而更荒謬的是，當有一間公司嘗試滿足整個行業發展的需求，應該要同時有一個學院去訓練人才，解決這些問題。但奈何在政策之下，我們只是建立了很多不同訓練的媒介，而很多同學畢業後沒有辦法以此維生。為甚麼呢？第一，因為香港地價昂貴，沒有一個合適的空間來營運。第二，當這些空間全都是由官僚機構建立出來時，他們不會考慮到為甚麼一個劇場需要有前台後台互相兼顧來經營，於是他們只建立了許多硬件配套，但從來沒有這種運作概念。唯一可以這樣運作的只有香港演藝學院（HKAPA），因為舞台後面就是一個「scene dock」（佈景工場），搭建佈景後就可以推進去演出。這就明白了為甚麼「香港芭蕾舞團」不起用香港繪景師，卻特意去澳洲請人畫佈景，是因為香港除了HKAPA那個繪景工場的框架外，沒有別的地方可以繪景（圖三）。

魯師傅曾經嘗試在他火炭工場的天台裡解決這個問題，颱風下雨都是照樣畫，但趴在地上畫，和在HKAPA的框架上把佈景掛起來畫是兩回事來的，在天台裡畫一定有它的局限，所以有一班本地創作人嘗試在這些艱辛的環境下解決問題。而HKAPA的訓練也脫離了現實，我不是說它（這種模式）不對，但我們的政策沒有開拓製景的場地，無論是道具、服裝、佈景，都在面對同一個問題：我們太服膺於商業化的運作，整個培訓很缺乏對美學的探索，後台製景變成了服務性行業，沒有重視他們作為創作中很重要的一部分。這麼多年裡，魯師傅由火炭的工場慢慢開拓出愈來愈大的業務時，我看見他的驚人魄力是怎樣滿足無邊的要求，於是大家都知道要找魯師傅幫忙才能解決問題，而他屬下的兄弟都在等這個老闆的指示，如果老闆不在，那些事情就很難成事。可知這種情況能夠運作多久。

潘：我們時常覺得製景師首要的工作，就是用技術把一個設計意念變成製作圖，再製作實物出來，但其他受訪的設計師都說，魯師傅對於香港劇場最重要的貢獻是他的美術根底，而他的美術根底和審美眼光使得整個製作有不同的發展，甚至幫助了一些設計實現出來。你會否有一些親身經歷的例子？你覺得為甚麼對於一個製景師來說，有美術根底是如此重要的呢？

何：　其實他扮演的角色，戴了幾頂「帽子」。劇場的「technical director」不只是解決技術問題，更會幫助解決美學上的問題。有一次我替舞蹈團的一個作品，設計了一個很簡單的裝置：一塊很巨型的布，有16個吊點，需要用上場地的設備，運用電腦同時控制這些電「bar」組成不同組合。我竟然發現從來沒有人用過這些設備條件。我想對魯師傅來說，這些過程開始引申出美學以外的問題。

香港從來都沒有「technical director」這職位，是因為我們負擔不起。我們的「technical director」只是一個「technical manager」。「technical director」是需要分析解構一個設計，使得它能符合美學要求，而不是將設計師的圖直接實現。就如建築師畫完圖，會交給土木工程師來解構怎樣興建，從而達到美學要求，同時又符合安全準則。魯師傅也是一個「technical director」，他一邊做一邊學，他以前從來沒有想過要考慮那麼多工程學等的問題，所以在搭建的過程，我們很常要和他討論這些問題，可以怎樣轉景、可以怎樣既安全而又達到美學上的要求。

反而在繪景上我不是太擔心，因為他有這個藝術根底。我記得早年和他討論如何減少踩上佈景時會發出的噪音，當中其實牽涉到視覺上怎樣搭建「platform」(平台)，但發現在他的背景或香港的條件下，他根本沒有辦法解決這個問題，因為負擔不起那麼多買木材的錢，所以在面對物流和很多不同考慮下，唯有妥協。這就要和魯師傅討論，再解構出一個製作方案，到後期，他慢慢拿捏得到怎樣解決問題。但是難得的是，我們可以一起討論。在過程之中，我們一起學習、調節怎樣適應當時的條件去達到美學要求。所以他的藝術背景是否可以幫助到很多藝術或設計的人解決問題，我想從來不只是佈景外觀，其實當中兼容了很多技術，包括繪景至製作上兩件事的平衡，來達至所謂的美學效果。

潘：　關於早年的製作，很多時候大家都會提起《雪狼湖》這個大型製作，對當時的香港來說也是一個嶄新的嘗試，可否請你分享一下當時你和魯師傅合作的過程？

何：　《雪狼湖》是一個我很不熟悉的製作環境。我一向很少做商業製作，發現原來商業製作這麼多年來都有自己的習性、有慣用的製作人，所以當時請魯師傅參與這個製作，也得失了很多人——製作公司有那麼多年運作演唱會的方法，會覺得為甚麼要特意請魯師傅來合作。我只是和當時的老闆娘說，我們做的是一個音樂劇，和你平常做演唱會不一樣，你一定要有一個完全可靠的製景師，在你入台時預留時間給你排戲。所以在這個過程要克服的事情是非常龐雜的，當然魯師傅很享受，因為有不同背景的人參與製作，但對我來說，怎樣跨越這些有限條件，是很艱難、很不容易的經驗。

我在那個過程中慢慢摸透一件事：錢愈多愈苦惱，不會因為預算多了而覺得可以做的事情多了。HKAPA的製作資源很多，簡單一個學生製作已經等於是外面一個大製作的資金、因為大家不懂得「計數」（算數），又或者是學校沒有教他們怎樣「計」。學校裡的場地，所有東西其實都是資金來的，一旦離開學校就只剩下四分一的資源可以做事。我反而覺得在愈低的條件下，更講求想像力和創造力。我想這方面也是我和魯師傅可以找到出路的原因，合作時他第一句話通常是「嘩，何生，這麼少錢怎樣做呀」，我說可不可以找到一個雙贏的位置，你賺得到錢，我又可以做到我想做的事情。於是就要找一個方案，使用較便宜的物料而又可以做到那個效果出來，這些平衡的過程其實是一門學問。

很可惜HKAPA製景這個課程已被腰斬了，這也沒有辦法，沒有修讀製景的同學畢業後能夠順利入行，因為出身於條件這麼好的HKAPA，無論是繪景、製景、道具方面，他們都沒有辦法適應魯師傅的工場。我記得有一個耶魯大學的教授說HKAPA好像酒店一樣，他其實是指：世界各地裡，是享負盛名的劇場才有這樣的條件，大部分的民間劇場其實都很貧窮、經營困難。對很多創作人來說，貧窮不是罪惡，但是你創作的慾望夠不夠大、是否能夠支撐你繼續創作，我想這個平衡是很重要的。

何： 我們在打一場很奇怪的……我也不知道是不是「仗」，無論由政策制訂，到培訓學生，到外面實戰的世界，三者有完全不同的背景和條件。我所有的佈景都是找魯師傅造的。不是我不願意試用其他人，我試過，但我發現原來真的很「不爭氣」。我又很體諒他們，因為他們在這麼少的資源、預算下，要營運和賺錢維生的話，很難要求他們去理解。就像魯師傅，因為他愛藝術而願意和你找出路，我想大家很自然就會走近他，因為大家都很想找到一個可以在這方面對話的人，而令他提供了一個很異常的環境。他不是最理想的（解決方法），但是是唯一的出路。要使得文化發展，就是要創造更多「魯師傅」，而不是只有一個。不是我不重視魯師傅，而是這種情況的傾斜，你也看到魯師傅這樣做是不健康的，太累了，全世界的人都好像把他當作救世主，但是他也需要休息的，對不對？

潘： 關於香港劇場的發展，我們看到由最初常上演翻譯劇，到現在無論是演出、創作的風格、設計的美學方向都是很多元的，從你的經驗或觀察裡，今時今日這些不同的美學走向，對於製景的要求或互動，會否相對地有一些不同的影響？

何： 我覺得一個比較健康的環境裡，有不同的美學取態是好事來的，即是我不能把我的美學觀硬套在人家身上，但是也不等同要放棄一些東西。我覺得完成一個舞台上的形象，不只是一種裝飾，設計上談論的、美學的、表演的、音樂的、燈光的語言，其實就是指一個合成藝術上怎樣互通互補，完成一個故事上的要求。但奈何整個文化發展和培訓過程，很快就把這些事情分部門、分專長，各自討論各自喜愛的東西。其實是否可以融合在一起呢？這個一直都欠缺交流和討論，所以製作便變成完全服膺於以導演、編舞為軸心，但大部分的導演和編舞在傳統的訓練裡都欠缺了合成美學方面的訓練，使他們只見到演員的表演，而沒有想過視覺的語言怎樣改寫表演狀態。

舉例一個作品，我設計的佈景比較抽象，而導演排演出來的東西卻是很寫實的，那麼燈光設計應該跟著佈景抽象，還是跟著導演寫實呢？最後導演問我有甚麼出路，我說其實是有出路的，但為甚麼我們不能建立一個可以溝通的語言來找那個出路？我想在香港的社會發展過程裡，我們很怕得失別人，很怕踩進別人的地盤。就像HKAPA裡，在校舍設計上已經造成了這種劃分部門的傾斜，舞台及製作藝術學院裡有很多走廊，這個部門在四樓、那個部門在三樓，而創作就在另一座大樓，大家永遠無辦法交流。於是大家進入另一個樓層就好像進入別人的山頭，我想這就是建築設計上沒有想過怎樣把合成藝術打造成一個可交流的生活空間。

我提出這件事，很多人覺得我離題，但我看到很多其他的例子，例如我以前讀大學時，其實劇場、製景和所有東西都是一體、沒有分割開來，在創作過程中會互相看見對方。而且大家都知道排戲的過程會影響到製景，很多設計會立刻作出調節。但當培訓過程裡製造了很多專家，很難免會讓他們沒有安全感，因為他們是這樣被培訓的。尤其是當管理舞台變成管理「event」(項目)的方法、思維時，我就發現，原來我們不是在教一班人一起擁抱劇場、和社會說明我們為甚麼要說故事、為甚麼有戲劇這個文化需要，我們只是在製造一種「迪士尼式」的運作環境。我不是說迪士尼的方式就不值得使用，那是另一個世界，當然現在HKAPA開宗明義，就是在支持迪士尼式製作的「event」。而真正愛上劇場背景而可以在不同的美學範疇下，運用不同的美學語言來討論的創作人就愈來愈少，於是大家就只會辨識這個設計師擅長甚麼、那個設計師有他的風格、那個導演有他的東西……變成有很多不同的圈子。

何：　但對我來說，作為一個設計師，你必須要進入不同的美學範疇去探問。我記得當年楊世彭時常說他永遠看不明白我的東西，我又跟他說我其實也不太喜歡他的品味，這件事情上大家都很坦白，我很欣賞他這樣坦白，他也沒有因為大家不喜歡對方的喜好，而不能容納我的作品。當時社會上的確有不同的聲音和美學，但我覺得作為創作人必須要問：有些導演不懂得說出自己的要求，那麼是否代表他沒有這個要求，或是他自己不知道而已？這便變成是我們的功課。通常他不知道的話，我就拿五個版本給他看，就可以看到他的脈搏向哪個傾斜，慢慢你就會找到和他傾談的方法。我覺得在任何一個範疇裡（的合作）都可以做得好的，無論你的製作是商業不商業，但是很可惜，香港人太沒有耐性，事事都要很快去做決定，而且講求效率。於是你願意研究多一點，討論多一點，已是一個問題。

曾經有一次，我已把設計圖全然交給魯師傅，然後我看排戲時覺得不是那回事，於是我建議可否重新設計佈景。這對於很多人來說，麻煩到別人不好，但做出來的東西都不合用，為甚麼大家要盲目地接受呢？其實我經歷過這種事三次，但我為甚麼願意重新設計？是因為我寧願製作出來的東西能夠幫助到作品。這是困難的，有時甚至會因此而感到憤怒——為甚麼花那麼多錢搭建的東西只是用作裝飾而已，和你的演出沒有甚麼關係？但奈何我們不是以一個合成團隊的模式去創作，所以我也理解不同範疇的人為甚麼有很大的挫敗感，很難怪他們都只是想做好自己本份，但是甚麼是「本份」呢？這就很值得我們重新思考，所以為甚麼最後我發現無法繼續創作，只能在美學上重新和不同的人傾談。無論是跳舞的、做音樂的、做設計的、做佈景的，重新尋回我們其實愛甚麼和為甚麼愛這樣東西。

所以對我來說，在發展過程中，我們花了很多力氣在發展硬件設施、政策上，但奈何這些政策仍是在一個很技術官僚的體制下制訂出來，而造成愈來愈多不是迎合現實需要的措施、硬件，亦要滿足要長時間運用這些場地（的政策）。到今天仍是覺得不夠場地使用的情況下，我們從頭到尾關懷的事情都變成了很大的妥協。那個妥協是我們為了要繼續營運、繼續好像有蓬勃的發展。外面就是一個這樣的世界。

但我不是完全消極地談論這件事，其實你說三、四十年來香港劇場有沒有成就呢？我覺得有。對很多其他地方的人來說，是無法想像香港的製作團隊這麼「快手」。「快手」很有效率，但是不是一定代表「好」呢？這同時也使我們失去了很多東西，但反而令我欣賞到製作過程裡那些「隱形」的人，譬如一些「stage crew」，其實他們在過程中默默觀察到很多東西，而你不用作聲，他們就已經走過來幫你解決問題。我覺得這些都是很寶貴的人才，但其他人看到他只是一個「crew」、是一個沒有被重視的人。

我在大部分的製作過程中強調，在開始製作的第一個星期裡大家就要知道服裝的設計，再慢慢和燈光、佈景等各方面去尋找一個合成方法。但無奈在大部分建制化了、制度化了的場地下，大家都接受了這種規範和形式性的運作，於是大家都很怕得失其他人，就沒有再堅持。我想這是有賺有賠，所以到今天我很怕大家聚在一起，仍舊在談論我三十年前談論過的問題，那我就會問我們的進步在哪裡？我們的退步又在哪裡？我們有很多物資，表面上別人看到會覺得很風光、很豐盛。如果我們今天才去討論這件事，當然永不算遲，因為我們永遠不知道城市發展到哪一個階段會有哪些不同的事情發生。

九十年代，大家忽然開始去探問劇場和我們之間的關係，而那種精神好似會擴散至很多不同的人，大家很想去連接、去叩問。我覺得這種叩問的精神是劇場中最重要的一環，而不是說歌舞昇平，但奈何大部分的資源都是來自制度，要怎樣在這種運作模式下平衡，我想這是我們仍需花上很長時間做的功課。

潘： 我想這個問題需要花很長時間思考，而且這不只是一個崗位或是一個範疇的事。

朱： 剛才你提到香港製作上有所局限，而當年的環境、場地條件如何局限了設計？有沒有這些例子可以分享？

何： 這個問題很好，因為香港有條件上的局限，所以設計上也有局限，因此要按照香港當時的文化環境來做一些可以做的事，只能夠戰戰兢兢地去找這些可能性。難得的是，我們說魯師傅是「good sport」（不介意吃虧、不計較），他會願意和我們一起解決問題。我可能在這方面比較保守，我知道我有很多事情要考慮：入台的時間不多、複雜的佈景要花費多少時間搭建、剩餘多少時間可以進行技術綵排……在設計的過程裡要思考這些問題。當然有些時候，年輕就會好勝，一定想要嘗試一下不同東西，但就發現這些嘗試背後有時需要付出一些代價，而那個代價就好像《城寨風情》那般，因為那時是我們第一次做音樂劇，而音樂劇的轉景需要大量綵排和各方面的配合才可成事，但現實上根本做不到，也沒有這些條件。

我記得在做《元州街茱莉小姐不再在這裡》（圖四）演出時，當時茹國烈擔任香港藝術中心（藝術中心）的演藝節目經理，他給予我十天時間入台，香港入台排練史上未曾有過這樣優厚的待遇。而我只有一個很簡單的佈景，但他為甚麼給我十天時間，是因為我說我需要花時間和演出空間共同「呼吸」，慢慢摸索那齣戲和壽臣劇院的建築空間。這是很多人都不會提出的。我記得早年我最難適應的事情，是好像要以演出遷就場地，而不是尋找一個適合的場地來做那個演出。這是香港一個超級大的痛症。

而因為那一次的過程讓我和Leo（張國永）找到一個異常的出路。我們竟然創作了兩個不同燈光的版本，因為當時Leo未能入台，我就說「Leo，你先給我一個大光燈」，於是只有大光燈的空間，對比有氛圍的燈光設計的空間，完全改寫了表演的能量，也讓我了解到粵劇裡使用大光燈的意義何在，原來是可以鉅細無遺地清楚看到演員所有的能量。當我看到大光燈可以如此精密地閱讀演員的能量，我就迷上了和了解到東方的劇場美學上所講究的大光燈是怎麼回事。Leo入台後，這就變成他的功課，他當然也有他想嘗試的東西，因為我們有十天，我們便可以做實驗，所以那次共六場的演出中，三場用我的版本，三場用Leo的版本，大家就在那個表演上找到截然不同的經驗。

其實我們很享受和不同設計師交流和對話，但奈何在香港裡，入台時間有限，大家沒有時間磨合，去尋找美學語言。因為我們都太過講求效率，這正正亦是令香港表演藝術發展沒有辦法往前走一大步的原因。在營運管理上，最初我發現香港的舞台監督不能自己「call cue」（執行指令）的時候，已經使我的心恨了很久。有甚麼可能和我們一起排戲的人不能主導按下控制鍵，去和演員一起「呼吸」，而是要經過第三者（編按：場地設施操作人員）「call cue」（發出指令）給他，他才去按下那個鍵，而那個人根本不理會舞台上發生的事對不對，他只是聽指令辦事，只是單單這件事已經不知道使我們勞神勞氣了多少年。

到了今天我們是否完全熬過那些日子？我覺得還沒有，我們的製作仍然取決於行政主導的前提下：如今年要在某幾個場地演出，你就要構思一些製作配合。可能直到有牛棚藝術村（牛棚）之後，我們才開始比較可以在民間上⋯⋯當然以前黃大仙「城市當代舞蹈團」的地方，都曾經短暫地讓我們可以在民間上醞釀一些作品出來。我覺得這些實在太缺乏，整個劇場的發展都是由政府的政策主導了生態環境，大家唯有適應這個環境來尋找出路。

朱：　《元州街茱莉小姐不再在這裡》那個佈景是否都是魯師傅幫忙製作的？

何：　是。那個佈景是要在舞台上建一個水池，藝術中心當時很害怕，因為香港的舞台上沒有人「玩水」，而我當時是第一個作品做這樣的事。第一，當時與魯師傅、技術部想破頭，思考要怎樣每日恆常地清走水池裡的水，以及思考技術方面的運作，因為當時的水壓無法做到我們心目中的水流，於是我們要在頂部設計一個水槽。第二，要防止漏水弄壞舞台，因為我們如此細小的劇團賠不起，於是第一次嘗試運用玻璃纖維來完成這個創作。但玻璃纖維很容易弄傷腳，於是又要打磨，又要保障演員，在種種考量下，我們用盡心思。舞台看來好像很簡單，只是一個湖、一個框和一張椅子，很簡約的一個設計，但就是在過程中默默地體現美學。為甚麼要「出水」？為甚麼是一個池？「回」字的外面和裡面之間是怎樣的關係——因為那個作品是在說「回歸」。當時想破頭，忽然之間和魯師傅就想到這個方法，藝術中心亦願意協助處理。

朱：　你提到，茹國烈容許你用十天做這件事，又願意讓你嘗試在舞台上放置水池。想起你剛才說到劇場是一種合成藝術，其實也包括場地管理人員是否可以配合到創作人的某些想法，所以除了創作人、製景、其他後台人員外，場地管理人員是創作過程必須的元素，這個說法你同意嗎？

何：　你可以這樣說，因為我們整個環境大部分的工作都是由上而下，但默默中令事件成形的是下面的人，大家一起開會、尋找出路，但這些是很多人看不到的。當時整個技術團隊亦很好奇，也樂於一起參與，其實我想走進舞台的人都很想在當中找到點意思，但奈何太多製作，讓大家都不能從中享受。當時也有另一個極端，應是在二〇〇三年，茹國烈也在藝術中心做了件很美麗的事，我對他說，「你給我租不出去的檔期，我立刻進去做一個即興演出，做完就走」。他問我做甚麼演出，我請他不要理會，總之會用盡場地已有的條件。當時我邀請一班藝術家到場做一些即興演出，那演出叫作「社會開放（封閉）劇場系列」，去回應社會正在發生的事件。當時找來梅卓燕、社會學學者何國良，一年之內做了六、七個系列（圖五）。

我覺得這真是在回應你說，管理場地的人究竟有沒有「視野」，而且他覺得那個場地「programming」（編排節目）的指標是怎樣的。我常常覺得政府說的「駐場計劃」……我當時還在擔任其中一位顧問，我說這是有名無實的駐場計劃，因為一個真正的駐場計劃是需要相信那個藝團。藝團有自己的藝術抱負和理想，假若要這些駐場計劃服膺於場地的前設、管理的條件去進行，就不是真正的駐場計劃。而這些駐場的劇團也很難改變場地的個性，由大堂到觀眾，到座位，到所有的模式都無辦法面對這個需要。

我記得早年我曾經在沙田大會堂文娛廳，面對過一個時至今天終於解決了的問題。當時我做的一台戲，要求搬走所有座位，我看到它的宣傳單張上說是有這種服務，但原來是不可以的。如果我要解決這個問題，就要去找建築署，但這個部門不會幫你解決這些雞毛蒜皮的事情，因為它還有一大張清單的事要解決，那就能看到在一個技術官僚架構上，他們不是不想辦事，但礙於這些制度上的關卡，沒有辦法自由運作，除非你打電話給上層，於是你又會得失下層、中層。

當時我理解到這件事是不可行時，我唯有封起所有原有的座位，而在舞台上重新擺放兩行座位，用很「小劇場」的方式，與觀眾面對面。其實我覺得很可惜，但我唯有適應這個場地的局限來尋找所謂的創作出路。看到不同劇團很害怕得失場地的管理人員，害怕他們下次再去這場地時會造成麻煩，這便是自我審查。其實我們可不可以一起去尋找一個跨越問題的出路？我們常常假設對方會拒絕，於是不作聲，反過來想，也可能變成是「唉，這個麻煩人又來了」，這個「麻煩人」就叫做何應豐。我時常相信時至今天仍有這個迷思，你（訪問者）先把這個個案作為先例存檔，希望日後的人可以從中得益。但大部分案例只是停留在案例的階段，便封殺在檔案箱裡，無人翻起再看，直至這類投訴愈來愈多，才可以有所改善。

陳：　剛才聽到很多因為限制而出現的妥協，而不同階段會有不同的場地出現，以你觀察，有沒有一些例子是因為有新的空間、新的可能性，使得場地發展有一點點的改變，帶來了不同的視野，又或可以令魯師傅不用那麼辛苦？或者大家之前的妥協或經驗，有沒有試過令場地在根本上有一點點變化？

何：　我嘗試說一下，早些年當我們提到黑盒劇場，很多人「摸晒頭」（完全沒有頭緒），譬如你知道HKAPA的實驗劇場可以移動觀眾席，其他場地如文娛中心的文娛廳同樣有這些條件，應該有潛質變成黑盒劇場，但其實花了很長時間，才開始醞釀這件事。開始出現總好過沒有出現，我覺得這方面是一個進步來的。但出現了這些黑盒劇場，在管理上、意識上是否能夠迎合黑盒劇場的實驗性呢？

譬如幾年前，我曾經在葵青劇院黑盒劇場裡「煲水」（燒開水），是一個在演出過程中發展出來的新內容，這就引起了軒然大波。場地管理人員說，這很危險，會危害觀眾，我們需要事先申請，亦指示我們不能讓觀眾坐在「煲水」的位置附近。我說，「如果真的不可以，那今晚就不演出了」。這是常識來的，為甚麼一壺熱水這麼令人害怕？為甚麼大家不能嘗試理解，為一壺熱水找一個雙贏的出路，既可以保障安全，又可以讓演出持續嘗試？

假若你真的有黑盒劇場的精神，管理人員和運作方式是否應該有一個心態，理解到藝術上的調節是必須存在和處理。我們有硬件上的進步，但在心智上、運作上其實沒有這個精神，而使得很多時候劇場創作人都很灰心。因為要克服這些所謂條件、精神，需要進入不同的層面，我很明白每一個人都很想被重視，也不是不想聆聽他們的聲音，但我們可否坐在一起解決，而不是忽然之間把它變成一個制度化的問題？當然譬如牽涉到火警的規則，我完全認同是需要守住的，因為創作人本身也會很容易跌入一個盲點。我覺得不是「創作大過天」，但同時大家也可以根據常識作出判斷。我想這是在發展場地背後，不只是簡單地說制度上的制約，而是怎樣理解劇場美學中發展的核心，我們一定要守住某些精神，而這些精神對技術官僚來說太遙遠。

當然我們也很希望場地管理人員會理解，但奈何他們很多都是由HKAPA訓練出來，而HKAPA讓舞台監督的訓練變成一個做「event」的訓練。很多時候，同學們會跟我說，他們沒有機會好好享受劇本、和創作人一起去完成創作。他們又覺得戲劇學院，或其他學院只是提供服務，不認為它們是能夠一起創作的對象，於是就拿走了交流、對話的空間。我想這中間有很多這些錯摸，而讓他們唯有自我審查。不是他們不想參與創作，而是在這些種種的前設條件下，對於合作的概念慢慢開始扭曲，造成很多行業上的現象。

到了今天，我還是覺得自己沒有「入行」，因為我很怕入行，一入行就好像要守很多規矩。我不是不尊重規矩，只不過創作過程不是一個行頭，是一個志業、信念。但到了今天，我們大部分時間是在說行頭規矩，就好像早年我說設計師是需要被尊重時，才發現原來有些劇團尊重外國設計師和尊重本地設計師的條件是不一樣的。所以在那些情況下，就會看到由殖民地過渡到特區的環境，原來骨子裡我們太習慣服膺於以行政主導去興辦文化的一種心性，而不是重新回到文化的本質。無論有多少會議，由官員到民間，因為大部分的資源都控制在技術官僚下，所以我們的聲音很容易石沉大海，或是打回原形。

其實不是沒有提出過，為甚麼我們演出的場地一定是在劇場，而不能在棄置的村校或學校？我們處於一個用商業形態去思考的地方，大家不肯承擔那個權責，寧願把那些地方丟空都不去處理。簡單的例子就是現在的大埔藝術中心，那是一點藝術感覺都沒有的地方，我們到底弄了一個怎樣的藝術中心出來呢？在當中有心工作的藝術從業員曾經連掛一幅海報出來也不可以，現在終於申請到——是要申請的。那麼場地的管理人員是在想些甚麼、管理甚麼？他們的政策是用了甚麼思考來支配文化創作？為甚麼與這些「文化人」去嘗試溝通、嘗試對話是那麼艱難？這就是一個很深層、很值得深化研究的事。

林：　你說到如何創造到更多「魯師傅」時，魯師傅的徒弟都很想接手製景事業，但奈何他們沒有那種美術根底，而HKAPA學生出來後又銜接不上實際情況，那麼若要承傳下去，究竟怎樣可以創造更多「魯師傅」呢？

何：　其實我很久以前就已在很多會議上提出，假若政府願意製造那麼多場地出來，為甚麼不可以放遠眼光，造一個製景廠？為甚麼不可提供場所儲存、回收再造道具呢？因為它不想安排一個員工來管理這些事情，於是出現了很多奇怪的事。舉例，我曾經覺得為甚麼文娛中心大部分都只有黑帳幕，即是全部「wing」都是軟的，其實有很多設計師喜歡硬的，因為線條不一樣，一個好的場地應該有這兩個選項給設計師。我曾經製造了這些東西出來，提議場地不如把它儲存起來，讓日後的人可以用，最後他們只是回應說沒有地方擺放而將它廢置。

你想想看，這麼多年來，我們其實用了很多金錢來造佈景，而在魯師傅的角度，他是在回收重用一些佈景。但問題就出現在這裡，在HKAPA訓練環境的製作條件很優厚，但畢業後是沒有這個工作環境的，假若我們真的有一個有遠景的政策系統的話，在HKAPA成立之時，就應該要有一個和它同步發展的製景廠和環境，使得同學畢業後有地方可以發展。但現在同學完成課程後，只能進入商業營運的公司，對於整個劇場發展沒有甚麼好處。

於是有大團把某些製景工作外判給外國的人去繪景，或者判給一些有能力的、他們可以承擔的製景師去製景。但奈何，譬如魯師傅發展多年，他在火炭黃竹洋街的廠房是一個很狹小局促的地方，旁邊便是「劏豬」（宰豬）之類的商舖，在這樣一個意想不到的地方製作佈景，賺多了錢便在天台開拓更大的場地，後來他發現製作了那麼多佈景，不能儲存起來重複使用，每次都要重新做過，很浪費。

這件事已經說過很多次，無論由香港藝術發展局（藝發局）到康樂及文化事務署，大家都不知道怎樣回應，便當作沒有發生過。訓練那麼多繪景師、道具創作人和技術人員，而沒有一個環境、資本讓他們孕育一些視野去做事。難得地魯師傅有資本，而他的資本都是很艱辛地積累得來，這種創業的精神不是從HKAPA訓練出來的。所以當我們訓練學生時，就算現在有「technical director」的訓練，但現實的環境根本不能容納一個「technical director」。那麼他們的訓練全然和現實脫節，而大家都不肯接受這個現實。

我看到那些同學真的很慘，不是他們不想銜接、不想去做，而是在現時缺乏資源的情況下，他們唯有開一個高昂的報價，於是大家付不起那個價錢，便又去找魯師傅，那是惡性循環來的。不是我們不能製造更多「魯師傅」，而是根本大家都不肯在政策上、現實上尋找出路，就等著其他人去解決問題。當然也有一些自負盈虧、小規模運作的製景地方，但它可能只能應付小劇場的規模，但他們都要成本、要生活。魯師傅為甚麼可以繼續營運？是因為他從商業作品去賺錢補貼劇場的人所需的資金，這種狀態不是那麼多人可以做到。

我不知道整個文化的痛症是否源自於我們這個地方培養的一種制度。六十年代的精英，他們很多不是專業人才，而是業餘地創作，但他們就影響了往後三、四十年的生態，其實這真的很值得我們重新反思。但當整個環境給予他們那麼大的權力、那麼大的條件的時候，我們很難叫人家說「我當日錯，我當日做得不夠，我當日其實可以改善，但身邊很多原因使得我無辦法改善這些事情」。我們可不可以找到一個雙贏的位置呢？如果大家作為華人，都願意放下點點尊嚴、面子，願意真正對話的話，我想我們今天可以做的事會比我們想像中更加多。

潘： 近年大家都發現有一個趨勢，我們形容為「淘寶文化」。正如你剛才說到，因為價低者得，需要降低預算，愈來愈多道具和佈景是從「淘寶」採購得來的。你會否在這方面有一些觀察和看法？例如你的創作會否受到這些趨勢影響？

何： 「淘寶文化」是沒有辦法逃避的，不單只是製作上，我看到很多年輕設計師很快就能在網上找到很多樣品出來。現在很多時候是「執藥」（抓藥），是「sampling」（採集樣品），是拼圖。我不是說那不是創作，只不過是在新世代必須要面對的另一種東西。他們的想法的確比我們更多，但「多」可以怎樣合成出來呢？同樣地，在「淘寶」很快就可以買到很多東西，雖然八成東西很快就會破爛。這視乎一個劇團、一個創作人本身要守住一個怎樣的心。我覺得大家都忘記了道具是必須和行為去合成，去尋找怎樣從一個故事的脈絡中理解它。原來要理解這件事是很困難的，但是今天，因為我們很常以製作優先，或者為了方便管理，而令很多佈景道具到了製作的最後階段才出現，或者用一些替代品（代替原本構思的道具）。

我覺得用替代品都無妨。我說個笑話，記得當年我曾經做一個服裝設計，我說衣服未必這麼快做好，便請演員先戴上腰封，演員就不太明白，為甚麼要那麼辛苦地戴著腰封來排戲。後來服裝做好，他連腰封一起穿上，好像平日般坐下，我問「你不覺得背上好像有東西壓著你嗎？你不覺得這支撐著你嗎？」原來我們要慢慢理解舞台上任何一件物件都不應該是多餘的，也不是裝飾。但在訓練過程中，很多演員覺得那些東西只是作為「服務」，給予演出一件物件，覺得感覺不對便毀壞它，這對創作人和製作道具的人都很不尊重。可能就默默養成了另一個狀態，就是「淘寶」，因為便宜，用完可以再用，這可能都是一個出路，我不知道，這只是我的假想。因為你問我，我曾經都在「淘寶」找到我解決不了的事，但買回來後其實是要加工，怎樣將它融合於你的劇場美學，那是另一個功課。

所以今天很多時候好像很快就能找到解決問題的辦法，但同時我們又好像跳過了一些核心的問題：其實我手上拿的是甚麼？我是否真的需要這樣東西？我是否真的能和它建立關係、和它相處？現在話劇團有自己的條件，有自己的排練室，甚至可以在黑盒劇場搭建佈景排戲，這種條件是大家夢寐以求的。但同時看到話劇團也有它製作上的局限，因為沒有完全能夠做到服裝、道具、佈景的地方，所以它要外判出去。它都是服膺於文娛中心這個有限條件去嘗試找出路。

當我們最有條件的劇團都不能夠進駐劇場……我覺得話劇團是應該進駐大劇院，或是大劇院舞台的後面應該有個製景廠，使得它可以上下運作，但奈何現在劇場的分配背後，技術官僚的想像是希望平均、每人都有機會，同時就廢置了很多場地的特色，使得這些場地無辦法如一個運作良好的劇院。因為我們由六十年代開始，在劇場設計上已有先天不足，設計劇院的建築師和真正運用劇場的人的對話實在不夠，好像總是被折了單翼，不能雙翼齊飛。所有的場地都是以文娛節目為先，要所有類型的演出都能放進去，不可以有任何一個範疇的東西獨大。這個理念未必完全錯誤，有它的道理所在，不過假若有某些場地已經滿足到這個條件，可不可以同時撥一些場地重新重視它的專業，重新重視某一個劇團能為這個城市孕育創作的條件，使得它活起來？

李：　你剛才所說的種種現象，是否影響了你現在對於劇場的想法？或者相對地，方向上不適合尋求資助去做一些演出？

何：　現在我都不覺得自己在劇場界裡。在過去近十年內，我做的全都是繼續延伸我在創作中尋找另類的出路。我記得從開始參與劇場製作、永遠都有觀眾站起來罵我的時候，我就覺得劇場是和觀眾對話的地方，而不是做一個表演給他們看的地方。但是我們大部分時間都在說我們要「演出」，於是我和演員說，「演」字為甚麼是由「水」和寅時的「寅」字合成，它是在說一個時間流動底下的「human event」（人的事件）。對我來說，這個「theatre event」（劇場事件）就是一個「human event」。

何：　我愈來愈享受劇場這個世界，當劇院變成這麼建制、不適合這種交流的地方，我可以不在劇院裡創作。你給我一個空的場地，完全的白房間，沒有燈光，我都十分歡迎，那麼我是否真的需要劇院呢？當今天我們達到另一種極致：原來無論不同大小的劇團，在申請資助的計劃書裡都要列明會參與製作的某些職位、職銜，其實是不需要的。為甚麼總是需要有DSM ？ SM去了哪裡？以前我做SM時是百搭的，甚麼都要做，而且到最後「你」就是把這些創作元素總合的最重要的創作人，「你」是需要對自己的創作自豪，在香港很難找到這樣的人。所以這十年間愈來愈覺得自己不需要太過擁抱或說甚麼是「劇場」，我覺得只是回到一個「event」（事件），但那個「event」不是在商場裡的那種「event」（項目）。它只不過是邀請一班人透過一個「藝術行動」的平台，去面對一個議題，嘗試打開一種思路，對我來說，只是這樣簡單，所以它在哪裡都可以。

我曾經做過兩個簡單演出，忽然發現在最簡單的環境下，我和創作團隊重新找回我多年依然相信劇場魅力所在的位置，而不是要做一個堂而皇之的製作出來。因為佈景拆卸下來後，就會被當成垃圾丟掉。當我每一次看到這麼多可以重用的東西不能重整，心裡面的滋味很難訴說。當然有人說每個設計師都不喜歡用別人的東西，我可以告訴你，我第一個在香港的大型設計是當年為中英做的一個作品，我就是看見中英的倉庫裡有很多服裝等東西，那些全部都是可再用資源，不是垃圾，但有些人覺得重用這些物資很麻煩。當時製作費有限，我就請一個人來把所有這些已存在的服裝和道具，一邊排戲一邊試一邊找出路。當時就是我一直嚮往的劇場環境，就是一班創作人、製作人、前台、後台一起去找出路的世界。

有些時候請一些技術人員來幫忙，這些技術人員不只提供技術，你一定要與他們分享你的創作，讓他們從中找到趣味。正如我和一些設計師說，你在紙上畫一條線，人家是要做一天的工夫：你畫兩條線，所投放的資源可能並不如你想像中簡單。尤其是和魯師傅合作，我知道他屬下的員工都沒有這個背景，但不代表他們要辛苦工作，所以我很享受和不同的製景師傾談，當他正在畫的時候，我說「不如這樣玩一玩」，希望在與他們傾談的過程中孕育出一份趣味。我們常常說日子無論怎樣也要過，可不可以在為口奔馳的同時，大家的日子都可以沒有白過呢？

到了今天，大家就套上了這些所謂不同輩份、不同行業的身分，而沒有重視一個人作為「一個人」，所以我們便會陷入很多的誤解，而且劇場內最吊詭的是我們關懷的所謂「humanity」（人性），現實上原來不是這樣一回事。你要問自己是否真的要說這個故事，這個故事和別人有甚麼關係，不要假設要「餵食」走進來的人。走進劇場的人其實都有想開拓的世界，就等於我們看電影，最喜歡在黑暗中天馬行空，不想別人干擾正在發生的幻想，其實劇場的世界也是這樣。

但今天我很怕黑房間、黑盒，喜歡白房間，讓我覺得比較開朗，甚至我現在喜歡的地方是能夠互相看到對方，看到每一個觀眾的樣子，讓大家都不要躲藏，找一個相融的空間。以前前輩做的劇場就是這樣的事情，但不知道為甚麼一樣東西變得產業化、製作化時，就很講求某些標準，而忘記了表演的核心。所以今天連做藝評的人都很容易跌入這個核心裡，回望我們可以怎樣去談論一齣戲，我可不可以說這個戲在跟我說些甚麼呢？

朱：在之前的訪談中，其他設計師都說魯師傅擅長製作大型佈景。在你的印象中，有沒有一些很小型的佈景，是魯師傅實現了你的想法？

何：《元州街茉莉小姐不再在這裡》就是超級小型的，而我和魯師傅的第一個創作，把佈景放在客貨車裡的製作亦是。其實我和魯師傅解決了很多這些細小問題。記得有一次和鄧偉傑在麥高利小劇場做的一個作品，只有一千元製作費，但那是我到現在仍然覺得很美麗的一個製作。當時我和魯師傅說，我只是要一個框和一條繩纜，可以把那個框堅固地拉上去，演員又可以拉得動的。最後我真的在預算一千元內完成這件事。在演出最關鍵的一刻，那個框到最後忽然升起了，改寫了角色在那一刻的自白。

何： 我覺得佈景不是裝飾，而是要和那齣戲尋找一個交流的空間，而一達到那個交流的空間，我就覺得足夠了。很多時候我們走進劇場，看到佈景很堂皇，都只是驚嘆五分鐘而已，但之後發現佈景和整齣戲都沒有甚麼關係時，就會發現其實那個佈景也沒甚麼好看。但今天不是這樣的，因為申請了這麼多資助，需要與人交代，要有一定程度的堂皇，別人才會覺得物有所值。所以我又理解那種心理，別人拿十萬出來，很想看到二十萬的東西。這就是魯師傅當年能夠提供的好處，這個好處就是可以與他商量，但當然有些商量是他「硬啃」（勉強接受）了，因為製作費可能超越了預算。當然我不是要他虧錢，而是我可以怎樣彌補，怎樣運用其他的解決方法，去彌補價格上的落差。

朱： 你剛才提及，製景師不是服務的角色，那麼你覺得你和魯師傅之間是不是一種創作伙伴的關係呢？

何： 我覺得魯師傅是一個創作伙伴。雖然魯師傅不是每個演出也會去看，但他可能很享受駐足觀察佈景模型，後來設計師愈來愈少提供模型，要改為看設計圖，他就不知道怎麼辦。現在設計師已經不做模型，就用「laser」（雷射）嵌出來，裡面所有細節都可看到。但很有趣地，大家以為小時候在虛擬世界看過這些圖像，就能夠在現實世界調節，但原來回到現實世界，人會迷失、不懂得調節。我們應怎樣把這兩件事合成去找出路呢？我想劇場永遠對人、時代的發展不斷去提問，有些事情發展了，同時我們又被閹割了甚麼能力呢？所以當年我和魯師傅的優勢，是因為有這種對話、磨合，來找到某種製景創作上的趣味，但當然他怎樣和屬下員工調節，以及他怎樣在搭景拆景中間妥協和取捨，那些是我必須要學習慢慢面對的，於是各自爭取。

(圖一）香港話劇團、香港中樂團、香港舞蹈團《城寨風情》(1994)

(圖二）香港話劇團、香港中樂團、香港舞蹈團《城寨風情》(1994)

（圖三）香港演藝學院的繪景間

（圖四）瘋祭舞台《元州街茉莉小姐不再在這裡》（1996）

（圖五）瘋祭舞台《給董建華的信》（年份不詳）

導演與創作篇

盧景文

天時地利人和：從五〇年代的佈景說起

日期：二〇二一年五月九日

時間：下午一時至五時

地點：盧景文府上

訪問：陳國慧（陳）、潘詩韻（潘）、徐碩朋（朋）

分享：盧景文（盧）

整理：徐梓晴、葉懿雯

陳：　盧教授，可否請你分享你早年佈景設計和製作的經驗？

盧：　我年紀頗大了，要回溯至幾十年前，第一次設計佈景應該是在一九五六年，我當時是拔萃男書院的學生，已經開始為學校的年度戲劇演出設計佈景。因為是學生製作，所以連搭景都要自己做，不會聘請校外人。那時我便開始體會到設計和製作之間的密切關係，設計的時候要想到怎樣製作，製作的時候要想到怎樣搭建。我很感謝我的中學給予我這些機會。

到了一九五八年，我入讀香港大學（港大）文學院，選修英文，參與相關的戲劇社。當時的英文系熱衷於莎士比亞戲劇，到了年度大製作時，便會找我負責佈景設計。此外，還有相當多文學院的同學喜歡戲劇，比較活躍的有黃霑，他低我一屆。他參與的製作，例如《唐明皇與楊貴妃》，也會找我設計佈景。這些校內製作給予我很多後台工作的經驗。

那時沒有專門製景的公司，儘量讓學生自行製作。莎劇通常是大型製作，而大型製作港大習慣請大型裝修公司來製景。裝修公司收取的手工費用高昂，因為他們不會「偷懶」運用方便、簡易的製景方法，而是按照他們裝修樓宇的方法製作。其實演出一完成，佈景便會被拆毀，無需長期保留使用，但商業裝修公司不會花心機按照演出製景的需求而嘗試其他製作方法。所以當時我和那些公司之間的溝通合作頗費工夫。

大學期間，我獲得意大利政府獎學金，到羅馬大學（Sapienza University of Rome）進修文學，主要選修戲劇文學方面的科目。其中一位任教戲劇語言學（dramatic philology）的教授在羅馬歌劇院（Teatro dell'Opera di Roma）兼任歌劇語言顧問。他見我對舞台工作如此有興趣，便介紹我擔任羅馬歌劇院總設計師的學徒。這個設計師每年會錄取六個學徒，學徒是幫助他「偷懶」的，例如他要十五世紀某類窗戶的設計，我們便要做相關的資料蒐集。當時羅馬歌劇院的風格相當保守、寫實，佈景不像現在般立體，多數是靠用美工畫出來，營造立體的感覺，我因此學到很好的基本功。

但是後來我認為他們很保守，是落後的，是跟不上時代的。但我亦不接受所謂新派標奇立異的設計，過於抽象而改變了戲劇的本質，例如有些導演把《羅密歐與茱麗葉》（*Romeo & Juliet*）的故事改成在工廠裡頭發生。我的取向是介乎保守和創新之間，覺得有些演出需要現代感，但是大多寧願跟隨原作的氣氛和時代要求。這是我認識、嘗試不同風格以後的取捨選擇，並非受到潮流的影響。

陳：　盧教授，當時你在意大利有那麼多經驗，接觸到當地的設計師，向他們學習，當你回到香港時，會不會使你感到很大的落差？那種經驗又能如何融入香港的情況呢？

盧：　兩者的制度完全不同。歐洲的戲劇專業由十五世紀開始，例如十五、十六世紀意大利有「意大利即興喜劇」（commedia dell'arte），傳統悠久。而我回港時，即六十年代初，香港劇場還處於業餘時代，沒有專業團體，製作預算很低，對比歐洲的藝術工作定有落差，但少了傳統的限制，令我得到更多機會嘗試解決實際問題、尋找路向。

香港當時的劇場由外國人主導，不少官員和外國人，對帶領業餘戲劇很有功勞。當中最活躍的劇團是「Garrison Players」（加利臣劇團）和「The Hong Kong Stage Club」（香港戲劇學會），而音樂劇方面則有「The Hong Kong Singers」，專門製作輕歌劇，例如「Gilbert and Sullivan」（吉伯特和蘇利文）的作品等。至於中文戲劇就有「中英學會」，他們有幾位上一代在內地寫劇本、演出的成員，來了香港後組織「中英學會中文戲劇組」。但這些製作並不頻密，每年有一次周年演出，而那兩個以洋人主導的戲劇社，每年的演出全都是英語話劇。

盧：　在這個業餘的氣氛之中，我得到很多工作機會，因為只要你願意，他們便會讓你嘗試。因為我能夠用中英文溝通，這三個英文劇團便經常找我擔任製景的聯繫人，請我和製景的木匠們溝通，並幫忙設計佈景。我在那三、四年內，實踐了在中學和意大利汲取的經驗，得到很多發揮的機會。而那時所有歌劇演出都是由外國輸入的，包括香港藝術節所有的大型節目，佈景都是租來的，當時還未有魯師傅、陳廣他們這類的製景公司。在The Hong Kong Stage Club有一個很得力的導演兼演員，是香港電燈有限公司（電燈公司）的工程師，所以請來電燈公司僱用的「carpenters」製景。

一直到六十年代中後期，大學生發起爭取中文成為官方語言等各種各樣的本土運動，外國文化於香港的影響力逐漸變小，那些私人公司、華資公司逐漸強大。我也漸漸不為Garrison Players、The Hong Kong Singers工作，同時成立了一個個人的、沒有名字的製作和表演團隊，開始和內地一位很出色的女高音江樺合作，發展在香港本土製作的歌劇。

於六四年的演出，我還是繼續請外國劇團慣用的工匠們製景——就是那些替電燈公司、水務局（編按：現稱水務署）工作的人。後來有幾個人因為之前的製景經驗，考進了香港大會堂（大會堂）擔任技工。當時我覺得很方便，因為已經合作慣了，可是現在這班人已經全部退休了，有些或已不在了。

後來的演出找了陳廣製景。陳廣還沒有和我合作之前，主要製作粵劇的佈景，廠內來來去去只有那幾套東西以供租出。和我合作後，他才知道甚麼叫舞台設計，知道要按照設計來製作。我一向喜歡比較抽象的表達形式，這和陳廣配合得不錯，他做慣了的粵劇佈景既要輕便又要簡約，而且很多時候也是抽象的。

到了八十年代後期，魯師傅為「香港話劇團」《小狐狸》(*The Little Foxes*)等演出製景後聲名大噪，我應該也是在那時開始改請魯師傅製景。那時陳廣也已經年老多病，不久後便去世了。

陳：　盧教授，你最深刻或者最喜歡的設計是哪些作品？那是在甚麼場地上演？又是誰幫忙製景呢？

盧：　在未開始請魯師傅製景的年代，有兩齣我親自設計的大型歌劇，是我較得意的作品，一齣是《阿伊達》（*Aida*），有幾百位演員在淺窄的大會堂音樂廳裡演出，當時是一九八五年，另一齣是後來在香港文化中心（文化中心）、應該是一九九〇年上演的《杜蘭朵》（*Turandot*），都是龐大華麗的。

我有一次機會和魯師傅全程投入地合作，那是在一九九六年，內地開始復興西洋歌劇，我答應替「上海歌劇院」設計《羅密歐與茱麗葉》的佈景。我的設計，是同一個佈景包括了花園、露台、舞會、還有教堂，只要轉動舞台便能轉換場景，但他們的劇院並沒有「revolve」，於是我們要製作一個可旋轉的大圓台，台上放置建築物，轉動圓台，各幕的景象便會逐一出現。

這個製作是頗複雜的，要與魯師傅商量，二人合作做了一份文件，拿到上海歌劇院的舞美製作部門，逐步向他們解釋：「歌劇《羅密歐與茱麗葉》的佈景是一座堅固的大型結構，建造在一個直徑十二米的圓台之上。這座建築物可以不同角度展示景象，利用大圓台旋轉的不同方向，令觀眾看到多種不同的背景……」（圖一）

我和魯師傅說了我這個旋轉舞台的想法，他從施工的角度，逐點分析結構和做法加以改良，我們商量後，便清楚寫出旋轉舞台各個部分的結構、製作和運作方法，例如旋轉舞台的分區板塊、使用的輪子、推動舞台轉動所需的人數和做法。那是「需要十餘個大漢在台後兩側，用繩索、鋼鉤及鐵棒，長叉，又拉又推」，才能推動舞台轉動。

陳：　文件說明得真的很詳細，這個轉動舞台的裝置很厲害。

盧： 佈景方面，我需要「proscenium」（鏡框式舞台）的「front gauze」（前紗幕）。我喜歡觀眾在演出開始時隱約看到舞台上的東西，然後紗幕慢慢升起，營造夢幻的感覺。又有街道佈景、有噴水池，草圖還要寫清楚每幕轉換的指示，例如說明在這幕結束時要降下紗幕，進行中場休息；轉動舞台，這裡的露台沒有了，先前的庭院變了掛滿華貴布簾的寢室。

這些文件記錄了我和魯師傅合作的精粹，解釋了設計和製景的關係，有很多想法是從施工角度出發，例如這麼大型的旋轉舞台要拆開多少塊等，這些是魯師傅制定的，所以我保留了這些珍貴的圖紙和文件。這也應該是我對紀念魯師傅最大的貢獻了。

陳： 那次你跟魯師傅這樣仔細地交流，你覺得有一拍即合的感覺嗎？美工等各樣的部分他亦很有經驗。

盧： 其實從九三年以後我已經覺得魯師傅能夠捉摸到我們所常說的「審美觀」。在戲劇、歌劇院的演出裡，從美學的角度，最重要的其實是品味。品味很難以語言表達，要看到圖畫才能感覺到。如果兩個合作的人品味接近，或者雖然品味不一樣，但可以認識到對方的品味，是很重要的。很多時候我（作為導演）和設計師不合拍時，對方會不解，覺得我為甚麼有那麼多要求。

以前替外國劇團設計佈景，和那些「carpenters」討論是頗費時的，他們沒有美學品味可言，使得我要習慣連微小細節，例如減輕佈景重量的製作方法，都需要提點他們。

請陳廣製景時，因為他已有舞台製作的經驗，便能進一步溝通。但是他和我的品味完全合不來，我很不喜歡當時粵劇不講究佈景的完整觀感，例如隨意把風景畫和畫得很抽象的城門之類的東西放在一起。所以和陳廣的合作永遠有很多要商討的問題，有時我到最後也不清楚他是否明白我的想法，唯有親手製作、髹油佈景，在我一些相片和文件中可以看到有一些佈景是我親自繪畫的。

開始請魯師傅製景後，我們起碼可以在品味方面溝通。雖然他的畫也不是我最喜愛的風格，但他知道我喜歡的是甚麼。和魯師傅合作期間，我比較欣賞的正是他這一點，在品味方面有共通的地方，儘管不是完全一樣，但他會明白我，我也會明白他。

陳： 你認為在設計和製景的過程中，找到一間合適的單位或公司來溝通合作是否重要？

盧： 絕對重要，不單是製景，就算是廣告畫，與廣告公司談不來都很麻煩，多數廣告公司的「art director」（美術總監）都較固執、執於己見，反而魯師傅不會存在這種偏見，能夠遷就不同的設計師。而魯師傅會清楚提出他在執行方面的創意，例如說「不用這樣做，設置兩個鉸位就可以了」。這些東西只有他能夠做到，我們不會在整體設計概念上想到這些執行上的「偷懶」方法。

這讓我想起，剛才《羅密歐與茱麗葉》的例子還有一個特別的地方，是我和魯師傅創作時根本還未看過劇院是怎樣的。

陳： 那麼後來到上海裝置佈景時，會有落差嗎？

盧： 我不太滿意繪景的部分，例如所用的顏色及其明暗的處理。當時內地還未有相關訓練。雖然香港的繪景人員未必和我有相同的品味，但他能理解我想要的抽象效果，是讓觀眾覺得佈景是佈景，而非追求仿真。在這方面，魯師傅便比起我以前聘請的業餘和粵劇的師傅親切，他製作的佈景也較吻合我的要求。

魯師傅很喜歡和我合作，因為他是上海人，這些製作對他來說有一種懷舊的感覺。二〇一〇年，我和徐碩朋一起帶由他製作佈景的《張保仔傳奇》（圖二）到上海演出，他也有去，開心得請我們吃餃子，感覺到他對上海的歸屬感還是很重。我們那齣戲先到上海演出，後來才回港上演。

陳： 我有一個小問題。之前有受訪者提到經常聽不明白魯師傅的口音，請問盧教授在這方面有沒有問題？

盧： 我太太和他太太是我們之間最佳的翻譯員，他太太的廣東話比他好得多，而我太太則是上海人，在上海長大。當遇到口音問題，請我太太參與討論便能解決，而且我平時會用筆詳細寫明。很少導演、監製願意用筆寫得這麼詳細的。

陳： 所以他看得到圖則上的指示，自然能夠溝通，就沒有問題。

盧： 一九九六、九七年以後，我已經很少直接和魯師傅共事，關於演出的溝通，例如協調設計和製作成果，習慣交由徐碩朋和Isaac Wong（王梓駿）處理，首先我會和他們二人商量達致設計上的共識，他們再和魯師傅商量達致製作上的共識，結果出來我都很滿意。他們二人的溝通能力很好。Isaac多用電腦繪圖，畫得很快又仔細；徐碩朋則會繪畫整幅設計圖，不限於用話語解釋，溝通便會容易很多。

說到溝通問題，有些導演不擅於憑空想像空間，特別是以音樂出身的歌劇導演，不知道自己想要甚麼。設計師需要懂得抓緊導演的用意，給予具體的空間設計，導演便會知道「我要放角色在這裡」了。如果設計師還能同時啟發製景人員對工藝的要求，貢獻便很大。我相信，戲劇藝術的微妙之處，是每個人，無論是創作藝術家，抑或第二層次的創作藝術家，或是觀眾，如果對作品真的有興趣，腦海自然會出現作品的影像。每個人在腦海裡都有不同的影像，我會有，也不怕承認我的偏見，對於舞台設計的要求和概觀是頗有堅持的。導演和設計也要在腦海裡有影像，並要留意製景方面的投入是否吻合那個影像。而魯師傅身為製景師傅，是能夠看到設計師的影像，在此之上合作溝通的。

陳： 剛才提及的《羅密歐與茱麗葉》在上海的場地演出，盧教授亦在大會堂、文化中心等香港場地製作演出，各個場地各有特色，硬件配套亦很不一樣。你認為設計師是否需要運用創意適應場地的限制？

盧： 這個是絕對需要的。我經常說設計師的最大功用不是弄一些漂亮的東西給觀眾看，而是要解決問題，不能夠怪責提供設施的一方。香港以前的市政局、現在的康樂及文化事務署管轄的場地，全都要經過建築署設計，他們有他們的規例、限制，而且他們的建築師有自己品味上的要求。譬如在文化中心於一九八九年落成前，大會堂是當時香港唯一一個大型的演出場地。它的音樂廳的設計是模仿倫敦南岸的一個音樂廳，勉勉強強有一個小型的樂池，好讓演出時現場奏樂，但這些都不能應付演出整齣西洋歌劇的要求。我們不能怪責建築師當時沒有想到這方面，可能他受制於當時收到的指示，需要考慮多用途的使用要求，以免因單一用途而浪費場地。

解決這些問題的工作便會落在我們身上。在大會堂製作《阿伊達》時，我的解決方法是，設計一定不能夠寫實，而要抽象，不能把埃及宏偉巨大的建築物、雕刻放上去，我很簡單地以六條斜放的柱體製造了三個金字塔的外型，其他佈景都是通透的，一放上去便似模似樣。

所以我由以前教導學生，直至現在我也是說，解決問題是我們的責任，不能動輒怪責主辦機構提供了不適合的場地。我們要讓場地變得適合，不然那還需要我們設計甚麼呢？

陳： 在製景預算方面，因為業餘和小型劇團大都沒有太多製作預算，而魯師傅不會斤斤計較，會儘量幫忙，支持年輕的設計師和較小型的製作。盧教授，你過往的製作應該大多比較大型，就如一九八七年的《遊唱武士》(*Il Trovatore*)，這個歌劇有寬達17米的佈景，這樣的佈景佔了多少製作費？對比現在，價錢、比例一樣嗎？你在佈景製作方面的預算又是怎樣呢？會否需要因應有限的預算而調整設計和製作方法？

盧： 佈景設計師的職責重點之一，是完全在預算範圍內作業，我近年製作的佈景預算，大約是港幣十餘萬元。

朋： 現在某些中小型製作也是這個價錢，以前有些大型製作或要花上百多萬元。

盧： 導演和設計師在構思階段，想像那齣戲要怎樣做的時候，已經能在腦海中看見理想的影像，然後按照那個影像計算製景預算孰貴孰平。我們身為監製人，有責任以最便宜的方法來達致美學效果。正如我剛才所說，解決問題的一方是我們。我每年一般起碼有兩、三個製作，慢慢知道要抓緊每次製景的重點，從而調整各項預算。例如有一次我對徐碩朋說，這次製作主力在繪景方面，要畫一整個城市，繪景的預算便會增加，而搭景的預算則會減少。後來我帶他到廣州做同一齣戲，需要把佈景改成LED的影像，那是新的經驗，我和徐碩朋用了一晚的時間完成改動。廣州提供的LED，其實我們也有很多不滿意的地方，例如它與演區的比例，諸如此類，但不能怪責他人，克服環境的限制是我們的責任。

陳： 盧教授，你一直很支持本地設計師，曾在學院培育學生，並持續幫助他們，讓他們能夠進入業界繼續發展。從你多年參與製作、教學的經驗所見，香港的環境是否一直在變化？又如何使畢業生在不同的情況都能夠找到他們發展的空間？

盧： 我有一個頗實在的理論；我這一輩的人一定要照顧下一代的藝術工作者，原因是他們一離開香港演藝學院（HKAPA），如果不小心的話，必會逐年退步。最明顯的例子是演奏和演唱的畢業生，他們已經失去了之前在學院一年裡兩至三次的演出機會，而在外面又只有很少的發展機會，同時沒有人會敦促他們訓練，所以他們便只會退步。

一九九三年，我接任HKAPA校長時，便覺得自己有個責任，於是優先把實踐機會讓給HKAPA的畢業生。由那時開始，我的拍檔變了，開始請楊福全負責舞台技術及管理工作，並請畢業生設計佈景。九三年後，我已經不太會親自負責舞美設計了，雖然我還是會很「霸道」地堅持設計的品味，但是會把設計的責任和功勞歸於幫忙的畢業生或學生，例如那時初出茅廬的Ricky（陳志權）、燈光設計畢業生Leo（張國永），我很欣賞這兩位舊生。我也經常關注學生設計展覽，例如每年HKAPA的舞台及製作藝術學院的學生展覽等，發掘有潛質的設計師。有次在學生展覽中看到有個模型當中有棵樹挺漂亮，便認識了徐碩朋。後來，他和Isaac分別幫助我處理佈景設計的工作。

離開HKAPA後，我創立「非凡美樂」，主要邀請的藝術家都是HKAPA的畢業生。後來香港浸會大學的教育取向也開始重視實踐，香港中文大學亦如是，理論性最強的依然是港大。我也會把機會給予那些需要實踐經驗的學生，因為如果不讓他們有較多機會，他們只會退步。有多少讀設計的畢業生後來放棄設計，就是因為設計工作的機會少。希望更多人會運用這種力量來扶持後輩。

HKAPA從前起碼一年會有七個製作，一班設計師，如果以燈光、佈景、服裝、道具等分工，很多學生都會有一、兩個製作的機會，這些是真正做工的經驗。所以我很幸運地在中學期間，及後在港大和羅馬大學，一直累積實踐的經驗，這是很重要的。

朋： 魯師傅從上海南下，來到香港這個中西文化匯萃交流的地方，適逢HKAPA成立等的發展，使得他雖然未曾學過那些技術，但有很多機會不斷摸索，由繪畫開始，慢慢建立金工、木工的技術，後來伴隨製作的蓬勃發展，魯氏美術製作有限公司興起，能夠和很多香港設計師和藝術家合作，最後成為於香港戲劇藝術界、製景界四十年間的重要人物。他這樣一位人物的出現是否由香港這種特殊環境造就而成的？

盧：　我覺得中國人有一句話說得很好：「天時、地利、人和」，你剛才描寫魯師傅的出現，正值處於這三者在糅合的環境。我自己亦很幸運，一直處於「天時、地利、人和」的配合當中，促成我個人的藝術事業發展。

時代剛好要發生這些事情，事情又基於很多人的體會、思想和實際行動來構成。數十年前，在戰後和平了一段時間，香港剛剛發展，政府開始推動文娛建設，先後興建大會堂、各區的文娛中心、文化中心，又成立HKAPA培養人才。期間，民間推動建立香港藝術中心，進一步增加演出場地。七十年代末至八十年代初，香港四大藝團也先後成立或專業化。

這些發展順應「天時」、「地利」，更有賴「人和」，麥理浩、尤德等港督推動政策方向，陳達文等行政人員推出低廉票價等措施普及藝術，本地和南下的專業藝術工作者、業餘戲劇愛好者、建築師、願意捐助藝術發展的商家等各盡其能。這些全都無法自己計算，無法獨力控制的。

魯師傅在我生命中出現，或者我在魯師傅生命中出現，是「人和」的關鍵之一，但我不能夠單獨說我自己，因為魯師傅在整個演藝界的各個階層與各種人物的「人和」關係更加重要。人與人之間的溝通、理解和合作這些「人和」的因素，是所有成功事情中最重要的關鍵。

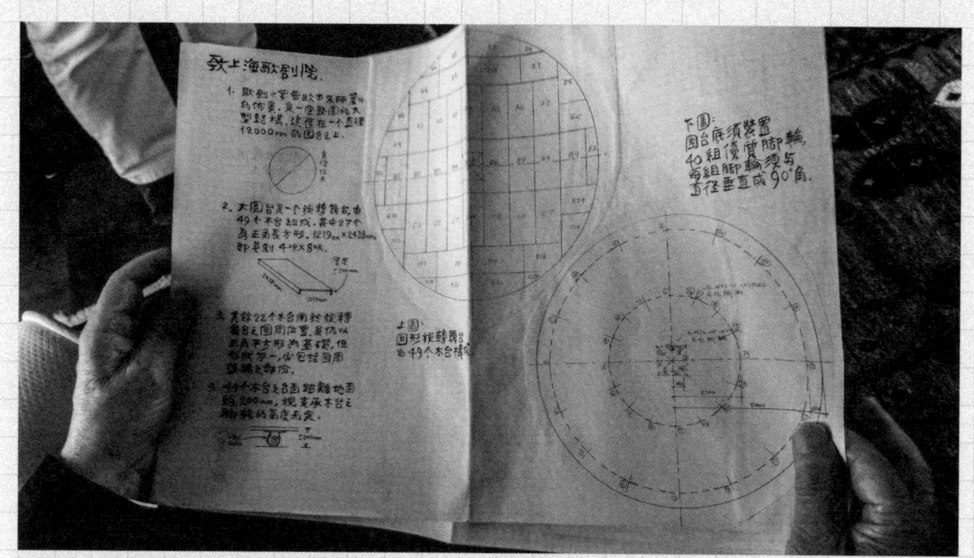

(圖一）上海歌劇院《羅密歐與茱麗葉》(1996）佈景設計圖

(圖二）非凡美樂《張保仔傳奇》(2010)

（從左起）傅月美、麥秋、陳健彬、張可堅

溝通體現創意：舞台製作的挑戰

日期：二〇二一年四月十日

時間：下午一時至三時

地點：香港話劇團會議室

訪問：陳國慧（陳）、潘詩韻（潘）

分享：麥秋（秋）、張可堅（堅）、陳健彬（彬）、傅月美（美）（按發言序）

整理：梁妍

陳： 大家都曾經在不同年代與魯師傅合作過。你們與魯師傅合作的首個演出是哪一個？又是在甚麼場地上演的呢？

秋： 其實魯師傅在跟著陳廣工作時已經和我合作了。我記得他開始獨當一面、最有表現的作品，就是一九九〇年上演的《美人如玉劍如虹》。香港文化中心（文化中心）大劇院的舞台設備是當時全香港最好的，有「wagon」、「revolve」、「flys system」，「side stage」很漂亮，「rear stage」很闊。當時盧景文先生負責佈景設計，我們將那個舞台「用到盡」。一百二十呎的深度，我們把第二幕的景，放在了舞台後部，重新搭建「rear curtain」，以便連貫整場戲。

當時來說，這是在舞台設計與佈景製作層面都很具挑戰性的一個製作（圖一）。我和盧景文先生有一個很大的野心，希望可以讓船在水上駛出來。有一幕是男女主角見面，有一隻小艇駛向畫舫，很浪漫的。台上有一個機關，可以把舞台升高，我們將那個位置變成一個水池，讓船可以駛出來，然後在舞台左邊的側台造了一個畫舫，讓米雪待在畫舫的二樓露台，與在岸邊求愛的鄭少秋和張可堅見面。那場「balcony scene」（露台場景）非常經典。

我們動用了所有腦筋、能力、資源去做。我很感激魯師傅，他真的是二話不說。我們開會討論了很多問題，例如，如何做到時間上的配合、如何讓船可以配合音樂進程而從兩邊駛出。這是一個音樂劇，很多佈景的轉換都受到音樂的限制。如果我們想配合得很恰當，魯師傅必須有很深入的參與，才能成事。

堅： 我想了很久究竟我第一個與魯師傅合作的是甚麼戲，我的印象有點模糊。我於一九七七年開始接觸戲劇，參加「香港話劇團」（話劇團）的演出。我印象當時造佈景的都是陳廣先生，後來才聽到魯師傅這個名字。我記得有一次，我忘了那次我是演員還是監製，我跟麥秋說：「這佈景怎麼這麼薄？」他說：「傻的。你要到觀眾席去看。哪有觀眾像你這麼近看的？」我想，的確是的。我只記得這個戲是魯師傅負責造佈景。那是我第一次這麼仔細去觸摸佈景。後來和魯師傅合作多了，就有更多不同的感受和體會。

陳：　不如談一下你們最深印象的那個演出？

堅：　我最深印象的應該是二〇〇四年，香港戲劇協會（劇協）上演的《喜尾注》。那個佈景是由余振球設計。真是令人咋舌，這樣的佈景也可以嗎？他設計了一個公事包，放在舞台上。一開場，那個公事包就會打開(成為房子)，有兩層。我當時是監製，我想：「真的可以嗎？」余振球說：「我跟魯師傅商量好了，魯師傅說，掂！」後來當我入台的時候，真的是蔚為奇觀。其中兩場在沙田大會堂演出，一開場響起音樂，真的做到了那個效果。剛剛James（麥秋）說的《美人如玉劍如虹》，也是印象深刻的，我自己也是其中一個演員。

彬：　我比他們兩位更早認識魯師傅。在八十年代我已經在話劇團工作，我第一次認識魯師傅是在一九八四年。當時麥秋先生已經是話劇團的技術統籌總監，那時我們的排練室在九龍公園「兵房」（編按：威菲路軍營的別稱）。當時導演鍾景輝先生在排練《茶館》。突然某日下午，有位先生，也就是魯師傅，他毛遂自薦，來找負責人。我當時任職高級副經理，我就出去迎接他，然後我就介紹他認識鍾景輝先生。

當時話劇團隸屬於市政局，我們（外判的工作都）需要走投標的程序。在魯師傅出現之前，香港只有兩間佈景製作公司，一間是（陳廣的）廣興舞台佈景製作公司，他基本上是做粵劇製作的，而粵劇對美工要求不高，也是遷就預算去造景。另一間是清水灣電影製片廠，主要是做電影佈景的。七八十年代早期來來去去就是這兩間公司投標。

魯師傅當時想進入戲劇圈子，將他所學的應用出來。大家都知道魯師傅以前以畫畫維生，他的畫工非常好。我印象中魯師傅第一個與話劇團合作的製作是一九八五年的《小狐狸》（*The Little Foxes*），時任藝術總監楊世彭博士是導演。因為楊博士很喜歡請美國的設計師，佈景設計和服裝設計都是來自美國的頂級設計師，所以他說要找一個一流的「contractor」來製作該台佈景。我們知道魯師傅的優點，所以就推薦魯師傅去嘗試。就是這次合作把魯師傅的長處發揮出來，令我印象深刻。

彬：　那個佈景是室內景設計，有門、樓梯等，屬美式的設計（圖二）。外國人很喜歡在牆上或沿著樓梯在牆上掛滿畫像……魯師傅就很仔細地處理這些畫像，有些可能還是他親手畫的。那個美國設計師和楊博士都相當滿意。從此我們對魯師傅的印象就很好，知道他適合戲劇界，大家就這樣結緣了。從此(話劇團的)投標就多了這間公司。

再後來，另外的公司就沒辦法和魯師傅競爭了。如果需要高質素的佈景，有時候就算魯師傅（的報價）不是最低，我們都會想辦法，找些「藝術」的理由令政府接受，務必要聘請到魯師傅來製景。

八十年代也還沒有香港演藝學院（HKAPA）培養出來的設計師，大多是南來或業餘的設計師，譬如王季平做佈景設計，謝培邦做服裝設計，王大釗做燈光設計，他們經常與話劇團合作……後來HKAPA培養了本土的設計師，他們也覺得魯師傅的製作和繪景手工好。

話劇團基本上都是大型製作。從一九七七年建團，到八十年代，這十年間我們的大本營是在香港大會堂劇院，《小狐狸》也是在那裡演出。後來文化中心於一九八九年成立之後，很多演出也搬到文化中心上演。大型佈景的製作我們也很信任魯師傅，譬如《城寨風情》、《酸酸甜甜香港地》。

我還有一個很深的印象，是魯師傅不僅美工好，他解決問題的能力也很高。幾年前有一個音樂劇叫做《太平山之疫》，佈景裡有很多幢木建築，代表上環太平山街的那些舊樓。那些建築放了在側台，演出時需要推動出入舞台。在技術綵排前，不知道甚麼原因，防火閘突然下墜，撞斷了其中一幢。糟糕，怎麼辦？必須要盡快解決。那麼魯師傅就馬上想辦法——因為也沒時間完全還原了，就用餘下的半幢來替代，結果那個修復後的佈景完全沒有影響美感。所以魯師傅是「急我們之所急」。我們很感激他過去的付出。

投標時，我們也使用了一些「公關技巧」。有時候也會對魯師傅說：「如果太貴，你投標就中不了的。但我們又很想你來負責造景。會否有減價的空間呢？」魯師傅說：「那你說要減多少呀？」竟然可以講價的！那又讓我們過關了。

總的來說，魯師傅是一個很有情義、很負責任、把工作處理得很好的人。如果我們劇團有甚麼問題，他就運用他自己的技術去幫我們解決。

堅：　我曾經聽說話劇團有一齣戲，是在香港大會堂，有一條龍環繞著的……

彬：　那個是《一年皇帝夢》。

堅：　對，那條龍真是非常的漂亮（圖三）。不過我聽說，是魯師傅虧本造給你們的……

彬：　魯師傅經常說：「我沒錢賺的呀，我最主要的是把事情做好而已。」這確實是真的。那個佈景的焦點就是那條龍，舞台中央有一條柱子，有一條龍纏繞著，整個演出都是圍繞著這條龍，所以當時最重要的就是要把這條龍造好。

陳：　May姐（傅月美）可否分享一下你與魯師傅第一個合作的作品？

美：　我是《小狐狸》的其中一個演員。那齣戲，如KB（陳健彬）所言，佈景真的是給人很深印象，因為置身在那個佈景，感到非常真實。之後我就入讀HKAPA，主修導演。畢業之後，我回到話劇團導演我的第一部戲——《我手誰牽》。因為之前《小狐狸》給我的印象實在太深了，我就找了魯師傅造景。《我手誰牽》的佈景有幾個高低不同的層次。這齣戲的劇照，魯師傅也收錄了在他的著作《香港舞台二十年——一百台布景寫真》。之後我導演的戲大都是找魯師傅製景。就算我在澳門的演出，我也會找魯師傅。有好幾個演出我都印象深刻。

秋： 我與魯師傅第一次交往，就覺得魯師傅這個人很親切、很誠懇、很真。其實那時他還沒做過舞台佈景。而陳廣叔，他很擅長戲曲的亭台樓閣，（對於《小狐狸》沒有找他製景）我們也很無奈。《小狐狸》故事設定是美國南部的一個大家族。當美國的設計師把設計寄過來，我就仔細琢磨。這是一個寫實主義的戲劇，我作為技術總監，有很大的責任去令楊世彭博士滿意。當時KB是我的好拍檔，他負責行政，我負責舞台技術，我們也很辛苦。我大力推薦魯師傅入標，因為我相信魯師傅的美工。《小狐狸》的故事發生在美國南部的莊園，佈景有太爺爺、爺爺的個人照、將軍服，魯師傅都畫得很漂亮，做得很細緻。連不同形狀的畫框也配合得很好。我就覺得魯師傅果然是不二之選。

彬： 魯師傅當時造出來的模型已經是很漂亮的了。

秋： 是的。那個模型已經很仔細，我怎可能不讓他把這個模型擴大二十倍在舞台上實現出來呢？這是魯師傅做的第一個舞台製景作品，其後就是《美人如玉劍如虹》，那時我對他已是絕對信任。如KB所言，他應變的能力很高。你提出問題，魯師傅就會回去思考，然後給予你建議。我也是一個解決問題的人，所以我與魯師傅特別合得來……無論是我們在香港藝術節、話劇團的合作，或是我在中天製作有限公司（中天）的製作，十年期間的佈景都是由魯師傅負責的。剛剛KB也提到，中天是我獨資經營的，不涉及政府資助。當我提出製景上的要求，有時可能超出了預算，但魯師傅也是二話不說的。「麥生，你想要怎樣，我就把命都給你，做到你滿意為止。」

之後我那齣音樂劇《白雪公主》（*Snow White*）才厲害。佈景是由何應豐先生設計的，在舞台上用了三個旋轉的機關，因為那個城堡的設置……當時在HKAPA的歌劇院演出，也用上了那個樂池。我們堅持要在台上建一個水池，因為我們認為這是《白雪公主》中很重要的噱頭。七個小矮人都是由成年演員來演的，劇情需要他們在森林裡面洗澡、跳舞。於是就在旋轉舞台之中，用玻璃纖維造出一個水池，不需要的時候就蓋起來，成為一個平台（圖四）。

那有幾個問題要克服。第一，是要計算玻璃纖維的受力，這個是魯師傅的責任。做出來之後要鑲嵌在旋轉舞台上面，而那個結構需要留意接口、承托力，不能漏水影響地下的電纜安全等，這些都是顧慮。我們開了很多次會議，有很多問題要處理，魯師傅就提出電工之類的問題。而這個製作也有技術總監，他也給出一些很精密的意見，與魯師傅一起解決問題，譬如漏水時該如何處理。

另外還有一場戲。我在英國訂了三部真雪機（編按：製造真雪效果的機器）。我因為不喜歡西方的演繹，所以把故事改編了，是用友誼的真誠來喚醒白雪公主。七個小矮人與黑熊在哭，叫白雪公主醒來，於是感動了上天下雪。那麼我是很有「科學根據」的——白雪掉落在白雪公主的臉上，令她甦醒。而當時飾演王子的陳山聰看見白雪公主醒來，才擁抱她、吻她。下的是真雪，所以我們送了前面15排的觀眾一件避濕的半身雨衣，而應HKAPA要求，所有座位也封上了膠套。

融雪的水如果影響到舞台底下的電纜，是非常危險的，所以魯師傅又需要準備去水器。我租了HKAPA的場地一個月，其中我們用了兩個星期去做技術準備。魯師傅真的是不顧一切地付出，因為有一段時間太趕了，我們還熬了兩晚通宵。Psyche（崔婉芬）的燈光也是我從英國訂回來的可以遙控的燈光設備，不用爬上去人手轉燈。Psyche也用了一個星期的時間準備，因為全香港沒有人懂得用這種遙控設備，要設置好一百多盞燈，他們也用了整整一個星期去做燈光調度。所以真可以說魯師傅是與我「血肉相連」。

堅：　所以這是中天的最後一個演出。他把所有財產都投放進去了。

秋：　對的。完成演出之後就真的是全虧掉了。但是魯師傅和我相擁著哭，大家流出英雄淚。他說「永遠記得我」。 他也虧本做，我也虧本。

陳：　劇協也常常找魯師傅製景，找他的原因又是怎樣的呢？

堅： 他這個人真的是沒話說。我大約一九九四、九五年開始參與劇協的工作，其時已經習慣找魯師傅製景了。除非是有規例說明要找不同製作商報價，不然多數都會找魯師傅，因為可以與他商量價錢，而他美工又好。劇協的行政多是由我負責，譬如監製。劇協也是沒有錢的，也是靠捐助，或者鍾景輝先生的朋友支持。

美： 我們演員也把錢捐回去……

堅： 魯師傅這個人真的很有分寸。他有一句話我很深印象：「不要緊的張可堅，當然是要有更多人來做（舞台製景）的嘛。這樣才可以有更多劇團，行業蓬勃起來。不只是我魯師傅一個人在做，那樣才更好，大家都有生意做。所以你們開口吧，我一定支持的。」

劇協每年都會舉辦頒獎禮，但預算非常有限。幾乎每次都是我們央求魯師傅去接，但他也二話不說替我們造佈景。他有一次還反過來捐錢給劇協。

後來在劇協，無論是誰做佈景設計，我們都一定會找魯師傅製景。因為魯師傅很有人情味，我們搞戲劇的人都是注重人情味的，魯師傅也不計較錢。所以，我們預算允許的話，（他的報價）就多一點，不允許的話就少一點，大家都知道當中的困難。我很欣賞魯師傅這一點，他不是一個生意人。做生意的都是要「賺到盡」。魯師傅怎樣處事，這一點是我很深印象的。

另外還有一樣是他對於美學、藝術的要求。剛剛提到的《一年皇帝夢》那個演出，一般生意人是不會接的，但是魯師傅虧本也願意做。我在「中英劇團」（中英）也試過一次，那個製作是二〇一五年《紅色的天空》。佈景搭好之後，我看見魯師傅看著佈景裡的那棵樹，有種很欣賞、很滿足的感覺。我就問「魯師傅，你很欣賞自己做出來的東西？」「是呀，張可堅，這個我真的是虧本做的。我不計成本給你做的，我自己很滿意。」我也非常滿意那個佈景。可惜演出過後要拆了。我又不可能搬回家。我們就特意照相留念，那棵樹真是太美了。

我想很少有人可以這樣，注重人情味，對自己的東西有所要求，願意付出來完成劇團的心願，同時也完成自己藝術上追求的心願。我覺得，這很可能已成絕響，不會再有這樣的人物出現了。

彬：　是的。他要過別人那關，也要過自己那關，他有這種心態。

美：　魯師傅真的是一個幫你解決問題的人。光這一點已經令你很信任他。他不計較錢，為了解決問題虧本也幫你做。我後來有一次做劇協的演出《一起走過嫲嫲煩煩的日子》(圖五)，在香港大會堂劇院上演，沒有很大預算。如果《太平山之疫》是塌了半幢樓，我那次就不知道為何入台之後才發現做少了「upstage」整個平台，這樣的話在舞台後部的戲就做不了，觀眾也看不見。我就跟魯師傅說，「少了個平台，不知道哪裡出了問題。」他說，「得，得，May姐，我幫你解決」。我不知道他是通宵還是怎樣，第二天他就已經幫我們做好了，使我們不用改台位。那次的演出，劇組拿了香港舞台劇獎最佳演出，我也拿了最佳導演，戲裡面不少演員也獲獎，如最佳女主角、最佳女配角。這個演出真的很深印象。

彬：　我們之所以傾向選魯師傅，其實也是因為魯師傅肯投資。他搬到深圳觀瀾的大廠之後，他願意在廠裡試搭一次佈景，所以當你到廠裡看實景的時候，可以先測試效果和安全性，於是我們的信心大了很多。當有問題出現，就可以就地修改。因為他有這麼大的一個空間可以讓人試景，這個投資也促進了他的成功。他真的當自己的作品是一個藝術品那樣去處理，所以他也覺得要給藝團有一個初步調整的步驟。

堅：　大家這樣聽來，也許有個印象是魯師傅很有義氣，很不計成本，覺得他好像沒有壓力。但是實際上，他在精神上、體力上很大壓力。在我的認知裡面，他其實是很辛苦的。我聽過他太太提過很多次，「不要做啦，又賺不了錢」、「你們不要找魯師傅造景啦，不要做死他了」。我聽了之後心裡也不舒服。這是其一。我覺得這個是他的堅持。或者再誇張一點說，這個是他對這方面的愛。於是我更加覺得很難出現這樣的第二個人。

堅： 第二，是他人很好，虧本也肯做。但這個是他一個人答允而已，他後面的師傅也要支持他才可以。那些師傅也不是傻人，未必有魯師傅那樣的傻勁。他們也曾給魯師傅施加壓力，「你還接這些工作？你虧本還接？」我還聽過這樣的話：「魯師傅，你被張可堅佔便宜了呀！你這個價錢也肯幫他做這個佈景？」那是《唯獨祢是王》的製作，他們在搭景，我在後台聽到。他們也不是罵我，但會說「魯師傅，你又犯傻啦，虧本也去做。」

彬： 我聽過魯師傅說，他賺錢是在商界賺的，不在藝術界賺。

秋： 我也一定要補充一點。因為香港舞台的生態，一般是花三天時間入台搭景，然後就演出了。《白雪公主》用了兩個星期搭景，他就說「可惜我在火炭不能先做好全個景……以後我有空地，我就先做好，讓你都看過了，再搬到舞台上。」觀瀾製景廠就是這樣來的。我知道他那個廠房，是可以把整個佈景做好，讓你看效果，之後再拆開運來香港。不過我一次也沒有去過那邊看，因為我對他有信心。

陳： 剛剛各位提到的魯師傅的好處，但背後其實涉及到香港舞台製作生態的一些問題。

堅： 如果說到香港的舞台發展，由無到有這樣的專業人士……現在不僅僅是魯師傅，還有其他同行也出現了，然後就發展到大多數同行也有一個較大的工場製景，很理想，可以預先看製作好的佈景，甚至可以用來排戲，這個是佈景製作的不同發展階段。究竟將來會不會有進一步的發展，這個不得而知。少一個就少一個了。

現在我們說科技，我有一個很深印象的，在二〇〇七年，我和魯師傅夫婦去布拉格劇場設計四年展。我對魯師傅說，「不如你找一個年輕人幫你吧？你這樣太辛苦了。」我知道他曾經找過，但中間也有人離開的……

但另一方面，究竟做舞台製作的公司，是否可以銜接得上科技的發展？最近大家也聽說了很多這方面的消息。東九文化中心或者新界東文化中心，都在談論舞台科技發展的可能性。我相信做舞台製作的人需要配合。這將是一個新的階段。

我們對自己的要求愈來愈高，對舞台的認識也增加了，與最初起步時已經不同。假如香港戲劇的發展界線從話劇團成立開始算起……雖然當時還未有全職演員，要到一九七八年才有。那麼究竟做佈景製作的朋友是否也需要進步呢？最理想的是我們可以在資源上……剛剛麥秋提的《白雪公主》在HKAPA那個場地租了一個月的時間，這是瘋了吧？ HKAPA真是一元的場租優惠也不會給你。但現實情況又是真的需要這麼長的時間準備。所以我們是否可以找到甚麼渠道、可以留意一下這方面發展的需要呢？我們現在有沒有願意投身這一行的年輕人，去配合不斷在這方面有自我要求的創作者呢？真的難說。

陳：　大家都讚揚魯師傅做得很好，但為甚麼後來的人這麼難接棒呢？是教育還是生態的問題？

堅：　這個純粹是我個人觀感。魯師傅這樣受我們愛戴，是因為他不把製景當作生意，他不在這裡賺錢，而是在商業領域。究竟後來者有多少人有這樣的心態呢？他們把這個當工作還是生意呢？以往是我們幸運，有魯師傅這樣的人，肯自己吃虧、肯陪著你去瘋、陪著我們完成這個心願。後來者有沒有這樣的心態呢？老土說一句，人情味似乎愈來愈薄。很多人只是計算錢，但偏偏我們這個行業不是計較錢的人。我們怎樣才能有同行或者同道人去一起做事呢？很難再出現像魯師傅這樣的人，可以配合到這個行業的需要。我相信要找到這樣不計較的人，真的是微乎其微。大家都知道，其他的製作公司，如果你付不了那個價錢，他不會交給你同樣價值的貨，他甚至不做。因為他接商業的項目，肯定可以賺錢，為甚麼要浪費時間在舞台界呢？

潘： 堅叔（張可堅）的經驗很獨特，同時做過演員和行政工作，現任中英的藝術總監。剛剛你提到的人情味和傻勁，其實背後是有很多人在承傳。我們有很多美學和藝術上的追求，不僅僅是要成全自己的個人願望，而是對香港戲劇的美學發展的追求。在你現在這個位置上，你會不會有其他的體會和領悟可以與我們分享，如何令幕後、設計、一個劇團，乃至整個香港劇壇的發展有更好的承傳？

堅： 我想，隨著我自己年紀漸長，會有很多感受，有很多年輕時候不懂得想的事情……我們的行業是一個團隊的行業。如果魯師傅還在世，可能就不會刺激我們思考這些東西，終於明白每一個環節都很重要。以劇協頒獎為例，最初沒有關於後台製作的獎項，只能用推薦獎的形式，給出色的後台工作者一些肯定，當時只是一個在舞台上的呈現的儀式，現在我明白，每一個環節都很重要，記錄發展進程也是。

目前我們在面對的是第二種挑戰。時代在進步，對於舞台技術的要求不僅僅是機械性的，可能會走向更理念化、注重思想性的道路。以前你頭腦想得到的，未必可以呈現出來；但現在你想得到，可能就可以呈現了。這需要靠一些新晉之秀。香港專業教育學院（IVE）的學生有不少多媒體、設計方面的訓練，最近疫症令劇場界討論起線上直播……就算沒有疫情，是不是也應該考慮線上直播演出呢？比方說，如果香港做的粵語舞台劇，有一天可以在倫敦直播，讓華僑在那邊看，也很好的不是嗎？這種可能性愈來愈大，但是我們在科技上是否配合得上？我們的人才是否也能配合上呢？其實現在我們談科技，已經滯後於外國了。這是我的感覺。我們不能停滯，我們不能自滿。

曾經有一段時間我也很自滿。二〇一一年在布拉格劇場設計四年展，我看到內地有一個展位，雖然沒有工作人員，但他們將所有舞台佈景的照片貼了出來，我當時看了覺得「不得了」。以前對於我來說，香港在華人戲劇界之內，不是數一也是數二。自從我們有了HKAPA，培養自己本地的技術人才、舞台監督人才，我們已經遠超東南亞的劇場界。但我看到那個展覽，我心想，不用多久，內地就會超越我們，因為他們很有錢。雖然不是甚麼發展都是靠錢，但錢的確跟很多因素有關。他們政府投放的資源如此多，也肯定有很多人才，於是他們的發展就會很快。我就覺得，真的是，「學如逆水行舟，不進則退」。我對自己說，真的不能自滿。

秋： 過去香港都是「即食文化」。剛剛你說的其實不是國家投資，而是保利集團。其實內地的（戲劇）發展都是靠保利集團。它在九十年代就已經以商業投資去製作專業舞台劇。由於有這樣一個平台和商人，才可以養得起這樣的設計師、技術人員。二〇〇八年北京奧運，適逢國家大劇院於在二〇〇七年九月竣工，那時候需要用上很多人去運作，我的《王子復仇記》（*Hamlet*）當時也申請於二〇〇九年四月在那邊演出，我親自去那邊參觀，很欣賞、很羨慕他們各方面的配套。

堅： 這令我想起在二〇一六年華文戲劇節的一件事。中英每次去內地演出，主辦單位提出的問題都是「你們可不可以不要租整個星期的場，只租三天可以嗎？」我說：「不可能，三天是做不到的。」「你當作我們要求高吧，我們習慣了這個模式，一個星期的前四日入台，星期五演出。」直至二〇一六年，「上海話劇藝術中心」來港，在荃灣大會堂演出《老大》。我們真的只給他們三天時間，我也很擔心。我特地去看(入台的過程)。有很多人在做事，很吵，好像很亂，但確實成功演出了，完全沒有技術問題。我問「為甚麼你們可以這麼快？」他們說「我們在內地用同樣大的地方，實景去練，練到沒有問題了，我們來到香港之後，就可以一模一樣地去做。」那次之後，令我改變了想法。一開始我覺得他們嫌劇院租貴，只要三天。但這次之後我發現，原來他們真的做得到。我唯一羨慕的，是他們有地方、有時間允許他們去嘗試。但我們沒有嘛。稍微幸運的大型劇團可以有兩個星期的時間，其他劇團大部分都只有一個星期……

秋：　這個生態超越了我們的能力，因為這是一個「combination of arts」（合成藝術）。我在倫敦皇家歌劇院（Royal Opera House）受訓時，他們舞台上的佈景是24小時不停換的。上午的時候是做後天「matinee」（日場）的排練，下午的時候就是今晚演出的綵排。他們不停地練。所以整個制度、環境、劇場的管理是一起配合運作的。香港沒有這個條件。香港的劇院大多是由政府負責，但他們對於表演藝術的認知就僅僅是關於劇場管理。

彬：　香港與內地的分別是，內地有一個「院團結合」的概念。劇團平時就是在自己的劇場裡排練，已經是非常熟練。所以無論搬去哪裡演出，他們都能很容易轉換環境。但香港沒有，劇院和劇團是分離的，每次都需要租用場地，受資源限制又不能租用太長時間，有多少藝團可以像話劇團那樣租三個星期？還有很多原因，不僅僅是錢。

美：　排練室也不夠大。

彬：　是的，在排練室連景也搭不起來。這個跟別人真的沒法比。內地的空間條件是香港不可比擬的。

陳：　在香港舞台界有沒有一些軟件或硬件可以改善，或者曾經改善過，從而讓魯師傅可以不用那麼辛苦？又或者魯師傅的投資，會不會其實可以由政府、學院或其他單位來承擔，令製景的未來發展可以更好地走下去？

彬：　以我的經驗和體會，這確實是一個問題。除了魯師傅的製景公司外，還有天安美術製作公司，這些都是南來的師傅。承擔香港舞台製作的都是有內地背景的公司。他們的優點，是在香港註冊了公司，工場在內地，兩邊都有工匠。現在香港很多劇作會到內地巡迴演出，而這些內地公司其實減輕了巡演的製作成本，因為內地師傅比較刻苦耐勞。比方說，我們坐飛機去北京演出，他們則是從深圳坐火車去北京，交通時間比我們長。我們住三星酒店，他們則住一星酒店。只需要比較少的預算，就可以讓一群內地製景師傅到其他地方去搭景，甚至可以在演出時協助換景。那麼我們的成本乃至人手，就少了很多。這是一個特殊的條件。

為甚麼香港（劇團）會側重這樣的公司去做佈景呢？香港其實也有很多本地的「contractor」，做展覽場地的搭建，哪怕有現代科技的需求也可以勝任。但他們比較注重商業製作。他們有的未必有舞台觸覺，即使有，可能叫價就會很高。本地公司通常叫價要比內地背景的公司高。

所以在供給上存有這個缺陷。那麼香港是否可以培養本地的人才呢？ HKAPA裡面也有佈景製作間，但是他們現在更多的是培養「stage management」（舞台管理）、設計師和畫師，培訓木工暫時不是HKAPA的主力。同時，他們製景主要是用作教學用途，現在不會向外拓展去替業界製景。倘若他們承擔這個功能，學生也多了實習機會，但是HKAPA的舞台及製作藝術學院似乎又不是往這個方向發展。所以我覺得，很視乎HKAPA是否可以有這方面的人才補充。有朝一日當魯師傅的公司淡出或者結束，那真的變成了後繼無人。這個問題急需思考。

另一個問題，是香港的市場始終很小。觀眾有限，演出場次少，這意味著可以供給佈景的預算有限。如果真的出現本土的舞台製作公司，（以目前的需求）是否真的可以養得起它們？香港養一個專業的劇作家已經很困難，妄論養一間舞台製作公司。

秋： 魯師傅離世之後，我也有思考過這個問題。HKAPA雖然沒有教木工這個主修科目，但是課程上有教授道具製作、木工、電工原理等等。我覺得如果可以在職業訓練局（VTC），開設一個佈景製作或展覽製作的部門，也是一條出路。如果政府能提供訓練以及相應的就業機會，那麼成立這類型的本地公司就會水到渠成。現在很多私人企業也想找一些項目去發展。

秋： 思考的方向不是說要怎樣去取代魯師傅，魯師傅是無可取代的。我們需要考慮的，是香港戲劇存在這一需求，現在因為疫情的關係，已不是之前一年上演幾百齣戲的頻率，但是這個需要一直存在。我已經退出了，但是如果由你們去發聲，倡議VTC與HKAPA的課程結合，提供相關訓練來形成一個職業，這個是唯一的出路。不再是魯師傅把這個需求轉移到內地去承擔。事實上，香港是存在這樣一個可以發展的職業範疇，只是沒有人留意。

美： 我覺得硬件的空間非常重要。正如剛剛KB所言，HKAPA的佈景製作間，空間寬裕，幾層高的舞台背景都可以畫出來。魯師傅之所以搬到深圳觀瀾，也是因為需要如此大的空間，在火炭的工場無法滿足他這個需要。我希望政府可以考慮這個空間問題，他們有時候會提供一些空置學校的場地給劇團使用。但是如果是佈景製作，需要樓底很高的空間，工廈也不夠高，所以更需要一些特別的場地。

還有就是人才的培養。如果能集合到不同訓練出身的人才，我相信對於業界會有所幫助。

陳： 魯師傅在業內已經工作了很長時間，而我們演出場地的發展也經歷了好幾個階段。大家有沒有觀察到一些場地的發展是對於製景方向有影響，或者魯師傅的貢獻與場地的發展有沒有關係？目前也有兩個新的場地正在動工，這些新的場地大家覺得有沒有補充到香港整個演藝發展的方向？

彬： 我當時上「arts management」（藝術管理）的課程時，也有機會去了倫敦皇家歌劇院那裡實習、觀察。為甚麼他們可以做到晚上要上演一個演出，下午還可以排另一個演出，主要是空間原因。香港的劇場空間與他們的無法相比。皇家歌劇院一共有三層，他們是一個機械化的舞台，可以同時放置三套佈景，所以如果是一套歌劇，有三幕景，他們也可以很快換景。

英國國家劇院（National Theatre）也是如此，副台很大。而香港可以做到「品字型」的舞台，只有HKAPA、高山劇場新翼演藝廳和葵青劇院……所以新場地需要從這個方向思考。如果空間足夠大，就可以解決佈景儲藏的問題，讓一些戲輪換演出。同時，如果空間足夠，也可以允許製景公司在現場製景甚至繪景，那就解決了剛剛May所提到的樓底不夠高的問題。將來建設硬件的時候，是否可以包括一個製景工場？那麼製景公司就可以有這個條件發揮了，也可以提供誘因促進製景公司的成立。

秋： 最初有陳廣叔的協助，後來就是魯師傅。歷史很有趣，陳廣師傅之後有魯師傅，也許魯師傅之後就會出現第二個人。不過，現在的發展，已經超越了人手製作，已經是「AR」（擴增實境）、「IT」（資訊科技）等等科技的時代，是科技配合舞台設計的時代，我相信會有另一代新人出現。不過，行政是永遠不變的，怎樣聯絡、籌劃等等。電腦代替不了人腦。人與人之間的默契工作是表演藝術的一套特色。你們這次關於魯師傅的訪問，帶出了香港未來的舞台製作的創作、管理、儲存等方面的願景。

彬： 魯師傅的優點，除了有一個自己的製景廠，也包括他有一個很大的儲藏空間。剛剛提到的巡演，一定需要預先計劃，何時去何地巡演，清楚計算到日程和成本，甚至去到不同場地的適應問題，這些都要考慮清楚之後，才能做到。無論如何，中間始終面臨儲藏的問題，所以魯師傅的好處是可以幫你把佈景運上內地儲藏，成本低很多，因為香港寸金尺土。

所以，接下來的問題是，拋開科技發展這個因素不算，先假設我們仍然有人手製作佈景這個需要。以往是魯師傅南來，然後再把工場搬去內地，那麼，香港的年輕人是否願意去內地，在內地尋找製景所需的空間呢？當然，這還涉及很多政治問題，還有關稅、關卡、後勤運輸等問題。不過我想問的是，魯師傅南來，我們的年輕人會不會北上呢？除了服務本土的舞台製作，是否也可以服務內地的製作呢？這將和魯師傅走一條反方向的路徑。我覺得，將來如果往這個方向發展，才有誘因在香港成立類似的公司，讓舞台的製作人員有一個出路。

美： 我覺得，如果談到空間，香港的劇院設計，真的需要由業界的用家去設計，才能運作得更好。譬如牛池灣文娛中心、上環文娛中心都是建在街市上面，我很記得，在牛池灣文娛中心入景，是要在樓上後台外牆上的卸貨位置，把佈景分拆成很多塊，從地下吊上去，然後再重新組裝起來，這些都窒礙了佈景設計的發展。而上環文娛中心的後台，我覺得根本不是後台來的。舞台後面就是一個沒有間隔的化妝間，要再上舞台旁的一道木樓梯才能到達另一個化妝間，而下樓是很麻煩的。最初的時候還是一個旋轉樓梯，我很驚訝，讓穿好古裝服裝的演員這樣沿著旋轉樓梯下樓嗎？你想像一下，這怎麼可能發生在劇院裡頭呢？我也不明白。

秋： 我覺得這類型劇場的意義是慢慢轉化成黑盒劇場、慢慢被取代。製作人也會看著那個劇院的平面圖去做設計，我想HKAPA的畢業生在這方面都很出色。剛剛提到那個《王子復仇記》的演出，從文化中心大劇院搬演到埃文河畔斯特拉特福當地的市政廳劇院。那個劇院比較小，我們也需要有一定的改動去適應。譬如，我做了更開放的「arena theatre」（中心式舞台）而不是「proscenium theatre」（鏡框式舞台），因為這樣可以保留更多的原佈景，而且是三面觀眾席，他們與舞台的距離也更近。我也是在現場探索有甚麼可能性之後再重新設計的。所以魯師傅真的很好，跟進得很足。不是旅費的問題，而是他作為一間公司的老闆，願意放下手上的工作而陪我到英國，他犧牲了幾天的時間，這些都沒有跟我計算。這個是讓我很感動的。

陳： 目前某些場地本身可能沒有一些合適的設備。譬如剛剛麥秋老師提到的從外國訂的真雪機，或者要在舞台上造一個水池，這些也關乎到創意。魯師傅有很多他在執行上的創意，創作人也有創作人的創意。根據你們與魯師傅合作的經驗，兩方面之間的互動和契合是怎樣的？或者類似創意的出現和執行，你們覺得怎樣可以做得更好？

秋： 這牽涉到導演、佈景設計和佈景製作三方面。魯師傅和我培養了很好的默契，有很多合作經驗。「思定劇社」是我培育的小劇團，我們有一次的演出《聖奧思定‧三十而立～思而後能定》，請不了較資深的佈景設計師，所以請了一個剛從HKAPA畢業的設計師。他畫的設計圖天馬行空，然後魯師傅就會是第一個說:「這個不可以這樣……造不到一個樓梯上去……」魯師傅很有自己的觸覺。他對於舞台的空間感很敏銳，是我很喜歡的。那個設計圖我還沒看到，魯師傅就已經提出了他的意見，多好。

陳： 我想了解那個三方的互動過程。譬如你剛剛提到的《白雪公主》，有些設計即使是你想到怎樣做，但在執行上可能會有問題。所以創意的界限是如何推動的？有些設計師明知做不到，就會改變設計，去適應現實的限制。但也有一些可能是明知有限制，但是因為知道有魯師傅的支持，所以那個創意的界限就會被突破。

秋： 其實當時我的情況很特殊。當時我是老闆、導演、藝術總監。我知道一個藝術家最難和最需要接受的就是限制。我們的限制包括時間、空間、資源，但這些我都不管。我自己可以想到的、我認為可能的，但是也有外部因素需要克服，包括我是否真的有條件去取得那些素材，譬如真雪機、Strand Lighting的「moving light」(搖頭燈)；又如一百多呎、可以透視的無縫大紗幕(sharkstooth gauze)，我一聲號令就可以去英國訂貨。

所以這些在我作為老闆、藝術總監和設計的提出者，我先克服第一步。否則在其他地方可能就是要經歷行政審批，要尋找貨源等等，需時良久，這些我個人都克服了。所以最重要的是我有魯師傅和佈景設計，我和他們徹夜開會，一起面對那些難題。有甚麼問題出現，就諮詢技術人員是否可行、有甚麼困難、有多難實現。如果是零可能，那我就放棄；如果是有方法可以做到的，不計開支，我就去做，這樣才可以做得到。這是瘋狂的。這種情況不會出現在話劇團。他們是科層治事，有很多部門需要配合，我的製作是我一個人說了算，所以中天才倒閉得這麼快。原來生存確實是需要這樣的組織結構的，由一個人去全部承擔是行不通的。

美： 剛剛James說話劇團做不到，也不全然是 ，當時《我愛阿愛》，劇本對於佈景有一些要求，我們就盡量滿足，希望可以做到，我們就和佈景設計去談有多大的可能性。然後話劇團有技術總監，我們就一起討論。當時這個佈景，戲的開始是很寫實的，有一間大房子，第一二幕都是這個佈景，但是在最後的五分鐘，整個佈景需要「fade out」（淡出），整間房子分崩離析，最後有一個大噴泉噴水出來（圖六、七）。當時後台同事討論了很久，電機師傅都花了很多時間研究。我作為導演也很希望有這個效果的呈現，因為是觀眾預料之外的。而且這個動作是每晚如此，一共是十多場，房子倒塌之後我們需要在第二日又重新建搭。這真的是非常需要佈景設計和佈景製作的配合。

秋： 我需要更正。我說話劇團做不到的，僅僅是針對《白雪公主》而言。話劇團可以做到很多我做不到的事。我是一個失敗者，話劇團之所以存在，是有它成功的因素的。所以剛剛那個例子不算。

陳： 劇團的困難在哪裡呢？怎樣可以突破限制，實現創意？

彬： 一個組織與一個個人的公司是有分別的。一個具一定規模的劇團或者劇院有分工、有不同部門，也需要長時間的合作去培養默契，同時也需要共享藝術理念。當有藝術的創作出來，怎樣去呈現是技術部門的處理。當步驟來到行政部門的時候，行政總監也需要對藝術有認知和信任，才能審批。作為行政部門，對於作品是否能夠滿足市場，我們也會提出意見。所以一個大型機構是需要很多的協調，然後各部門分工合作共同去完成。我們不像一個人做決策那樣有效，但也是各有優勢。我在擔任行政總監的過程，也親力親為，我需要去理解同事們的做法，待他們向我解釋他們的想法和這樣做的必要性，我才明白到原來必須如此去處理。我作為行政主管的宗旨是，「疑人不用，用人不疑」，一定信任我們所聘請的藝術家。如是者，創意就可以實現。

剛剛張可堅提到的劇場技術的問題⋯⋯現在的問題可能在於不同部門如何協作，以前就是一個佈景設計就可以了，現在不然，有燈光設計、音響設計、多媒體設計等等，或者套用何應豐的話，這是屬於舞台美學的部分，這些都影響到佈景製作，所以也很需要佈景製作參與討論。

陳： May姐是否可以補充《上海屋簷下》的經驗？你與魯師傅有製作寫實佈景的經驗，你也去了上海看景，是否可以分享一下那次經驗？

美： 我當時在澳門演藝學院戲劇學校擔任藝術指導。應該是二〇〇七年，紀念中國話劇發展一百周年，我們學校就造了這個《上海屋簷下》演出。我記得魯師傅曾經為「香港影視劇團」設計過《上海屋簷下》的佈景，我很喜歡那個佈景，就去邀請魯師傅來幫忙設計，魯師傅二話不說就答應了。當然不是照樣搬以前那一個。從繪畫設計圖開始，他就已經很幫忙（圖八）。

過程中我說我很想實地去上海看一下弄堂，以及看看劇作者夏衍寫的那個房子是怎樣的。魯師傅人很好，就幫我聯繫了他的上海親戚，他們在弄堂裡面生活了很久，就帶我去看。我認識的上海戲劇學院的老師也帶了我去那邊。他們帶了我去弄堂裡面看房子，原來很難上樓，那些窗戶如何打開、甚麼是「亭子間」、多少戶人都住在一個地方，還有弄堂的叫賣聲⋯⋯經過實地觀察，我才知道了當時的環境是怎樣，給我們的幫助很大。

還有另一個問題是澳門的製作經費不到香港標準的一半⋯⋯但魯師傅都盡量幫我們，把佈景做得很好。那次製作都是由澳門演藝學院的學生參與，他們踏台板的經驗不多，魯師傅在內地的廠搭建出實景，有兩層樓，讓我們上去排練，熟悉佈景，我們還住了兩天。魯師傅連酒店都幫我們找好，他人真的很好。有些道具他也幫我們畫，「上海買東西的竹籃不是這樣的啊」，他也幫我們找道具。

美： 另外，在佈景製作快要完成的時候，我突然想起，故事背景是在一九三〇年的上海，與現在距離很遠，觀眾不熟悉，我希望可以放一些當時上海的投影，但又不希望把投影放在佈景上。我就問魯師傅可不可以：在舞台前方掛上紗幕，然後在紗幕上播放投影，但到幕啟，一下雷聲之後，就整個紗幕飛走。魯師傅真的很好，他回去幫我思考怎樣可以實現。他把紗幕切成一塊塊，逐塊挨著，雷響之後，就全部跌落，然後後台人員在黑暗中把這些收走，燈亮，整個佈景就在觀眾面前出現。都就是魯師傅幫我構思出來的。他從來也不計較成本，他真的是幫我解決問題，非常幫忙。

潘： 我想補充一個問題。剛剛麥秋提到的真雪機、水池，這種創意今日在我看來是匪夷所思。今時今日我們進入場地，他們有很多限制，要我們遵守安全守則。在場地使用怎樣配合創作，你們有沒有一些體會或者展望？

彬： 康樂及文化事務署管理的場地配有技術監督。但他們甚少參與解決劇團的問題。相反，他們會對實際的舞台搭建設置諸多限制，這也許是基於舞台安全上的考慮，但如果他們認為某些設置不安全，他們也有責任提出解決問題的方案。我認為雙方應該是合作關係，一起去解決問題才可以，才能產生一些舞台的奇跡。可能有人說，其實用虛擬的也可以呀，虛擬的水池，何必要真的水池？但那不是導演的想法呀。如果想在舞台上實現，他們比較清楚場地的設置，應該提出如何防水的方案。我認為將來場館的管理人士應該要有同理心和追求，與劇團一起、與我們一起去成全作品，而不是他們是管理者、我們只是租用者這樣的關係。

美： 我深有體會。除非與場地負責人很熟，他也很信任你，明白你的要求，不然場地的人幾乎總是不允許我們的要求。譬如下午一點是他們的午飯時間，機器就會停下來，燈也熄了。他們不會彈性處理、幫我們解決問題，是否可以調換一個時間去吃飯？或者是加班，即使要收額外場租，有沒有這個空間，在時間上可以多一點餘地？話劇團可能好一點，因為他們是場地伙伴。但是有時候其他劇團的遭遇就是場地各種的不允許。

秋： 談及這個題目，我就是很老氣橫秋的。表演藝術很講求人與人之間的溝通。你剛剛問，是不是需要進步？一定是要的。如果場館的駐場人員是有劇場經驗的——能請HKAPA畢業生去駐場，那就是最好的了。但現實如果不是，而是一些「二級公務員」甚麼的，那就需要遷就他們了。我真的是恩威並濟。對於那個在我某個演出中拉錯吊桿的場地工作人員，我真的是訓斥得很厲害。我說：「不用怕。幸好沒有出事，不然就是國際新聞了。」

如KB所言，做行政的不應只懂行政，現在藝術行政與技術行政已經分工了，需要各種專業背景的人員的配合。我期盼這個日子會出現。六十年代有演員，七十年代有導演、編劇，八十年代有舞台操作管理，九十年代有監製，二千年有音樂劇，現在是二〇一〇年代之後，魯師傅離世之後，我希望我們的舞台界可以有倉庫、排練室；由專業的人去創辦佈景製作的公司；有小企業或者職業培訓的機構去向政府申請空間，可以實現繪景、佈景儲藏的空間。我希望這是歷史發展下去的趨勢。從六十年代開始至今，無論是製作、儲藏還是其他配套，我希望我們可以在舞台佈景的方面真正踏上一個專業的道路。

（圖一）中天製作有限公司《美人如玉劍如虹》（1990）

（圖二）香港話劇團《小狐狸》（1985）

（圖三）香港話劇團《一年皇帝夢》（2011）

（圖四）中天製作有限公司《白雪公主》（1995）佈景模型

（圖五）香港戲劇協會《一起走過嫲嫲煩煩的日子》（1996）

（圖六）香港話劇團《我愛阿愛》（2008）

（圖七）香港話劇團《我愛阿愛》（2008）

（圖八）澳門演藝學院《上海屋簷下》（2007）

（從左起）甄詠蓓、陳寶愉、林奕華、伍宇烈

在規限下發揮：創作面對的課題

日期：二〇二一年四月二十五日

時間：下午四時至六時

地點：非常林奕華工作室

訪問：潘詩韻（潘）、陳國慧（陳）

分享：林奕華（華）、甄詠蓓（蓓）、伍宇烈（烈）、陳寶愉（愉）（按發言序）

整理：錢安男

潘：　大家首次與魯師傅合作是哪一部作品？請分享當時情況。如記不起來，請選一個印象深刻或對你而言很重要的作品。

華：　我第一個與魯師傅的合作一定是當時與「劇場組合」一同創作的《萬世歌王》。

蓓：　我印象最深刻的是《兩條老柴玩遊戲》。當時劇場組合有設立駐團設計師的崗位，我們會和設計師一起討論設計，亦會給他們一個小房間來創作。給我印象最深的，是改編自尤金・尤內斯庫（Eugène Ionesco）的《椅子》（*Les Chaises*）。對於我自己的藝術道路，這個演出是一個里程碑，這部戲好像肯定了一些我很喜歡、喜愛的表演風格。佈景在舞台美學風格很簡約，當時的駐團設計師曾文通只設計了三個白色的圓圈，最頂端的那個圓圈上有一個燈塔（圖一），這個設計對我來說很新穎。我印象很深刻，那三個圓圈造得很好，很有趣。看見佈景由模型到實景呈現於眼前，過程很神奇。而魯師傅很用心造，好像很欣賞、很喜歡這道佈景，會私下向我們讚好這個設計。在創作方面來說，這是很大的鼓舞。魯師傅看過那麼多演出，而他主動前來稱讚我們的作品，是對我們的一個肯定。

烈：　我印象最深刻的是第一次負責仙姐（白雪仙）的《西樓錯夢》，要到內地的廠房看景。當時要確認佈景裡那些門的開合位置是否正確、扶手會不會刺手、扶手與斜坡是否配合得到（圖二、三），就拉了一隊人馬去看景，像是拍攝旅遊節目多於監督佈景。剛開始的時候，對於（魯師傅邀請人留下來）吃飯這回事很茫然，心想不是工作完就回去香港了嗎？但後來慢慢適應了，因為這是整個過程的一部分，是與人、與設計師、與製作團隊相處，一起建立關係。

蓓：　在劇場組合的時期，我曾在內地廠房排練演出，有幾次他們在廠裡搭好佈景，我們就去試景。記得《墮落鳥》中設計了一個鳥籠，要到廠裡測試、排練。其實很辛苦，廠裡頭很熱、很嘈吵，我們都想盡量避免安排北上排練，不過到最後都會去。

華： 如果用現在歐洲的劇場駐場模式來看，他們的藝團可以有三個星期在台上排練，但我們用的是政府場地……

愉： 這是香港劇場裡，租客（劇團）與場主（康樂及文化事務署）的關係。

華： 到現在，我覺得香港做不到（歐洲劇場駐場）這種模式——劇場由一位藝術總監、一位行政總監管理。其實就像「香港話劇團」，由這兩個崗位共同營運。

烈： 是我們的制度導致了這樣的運作。

華： 只能是這樣。而且短期內，我說的是十年、二十年都看不見它可行的機會，因為沒有人相信這種模式。

愉： 現在「VP」（場地伙伴計劃）的形式都不是這樣的，一個藝團沒有專屬的劇場，或是一個劇院沒有一個駐場的藝團……

蓓： 在九十年代我們出席一些研討會討論「VP」的時候，很有理想，曾討論過建立兒童劇場、青少年劇場，但落實時，又是像租場一樣，只不過給予較長的檔期，而不是真正的駐場，也沒有在藝術上、創作上拼撞出火花。

華： 甚至與技術人員也沒辦法建立一種連繫。

蓓： 是的。

烈： 你覺得西九文化區（西九）有沒有機會（做到這種模式）？

華： 到現時為止，我看不見有像我們剛才提及的，有駐場的劇團。

潘： 除了場地伙伴，你們覺得香港是否也不可能有製景工場？好像香港文化中心（文化中心）七樓設有一個工場，現時仍存在，只是沒人使用，變了儲物室。但其結構、面積，以及如何把製成的佈景運往劇場，其實都不算便利。

愉： 早年魯師傅的工場在火炭，也遇到土地問題，永遠都不夠大。縱觀香港的舞台製作公司，他們的廠房也不夠大去製作香港演藝學院（HKAPA）或文化中心大劇院的佈景，而製作費也超出我們能力範圍，所以沒可能在香港製作佈景。不談商業製作，政府資助的預算也有限，如果要在香港製作佈景，可能搭幾把梯，已耗盡預算。

蓓： 所以從事創作多年也會感到沮喪，經常都是「不行」、「沒可能」、「做不到」，歸根究底問題在於工場不夠大，場地又不容許。無論製作上、技術發展上，在有限條件下，其實某程度上塑造了劇場的某個模式，也塑造了美學上，或展現出來的表達模式，所以有這規限。香港的劇團已很厲害，在有限條件、資源下，沉著氣，做力所能及的事情，而且仍能做出一定成績。

華： 香港這種模式不知道還要運作多久，與你說的場地和表達形式很有關係，作品的壽命侷限於可以在市場存在的時間。很多時候，付出很多心血製作這些佈景，表演完就要拆卸丟掉，哪有地方存放？過去十年，多談及的是我們是否能夠擴闊自己演出的場地、空間及時間，即使只有兩星期，花費也有限。過去和魯師傅合作，很大程度是時機剛好，不只在香港，也到新加坡、台灣、內地、澳門巡迴演出。能這樣巡演，要有一定的賣座力，讓資助藝團機票、船票的（投資者）覺得有回報。永遠是「雞與雞蛋」的問題，不能夠在自己劇場內幫助那演出「生長」，佈景用了一次就要丟掉，其實也浪費了製作佈景的人的心血。

我記得有一次，魯師傅表示十分欣賞《華麗上班族之生活與生存》的佈景，設計師Ewing（陳友榮）設計了一道樓梯，象徵著辦公室（圖四）。那道佈景很有趣，它的成本不貴，但那佈景的概念讓它能「立足」。那道樓梯全是橫線，厲害之處是，樓梯愈多，愈難做。坐在觀眾席最後一排，才會知道設計或製作這道佈景的人，對這個演出的幫助有多大。愈往後拉，愈能看清楚所有比例。演員在樓梯間上上落落，有一個節奏，有一種自己應有的重量。記得魯師傅也以製作這台佈景而感到自豪。這佈景，他沒有建造一條走道等的複雜東西，我不是說這些設計不好，戲曲的亭台樓閣，也是要做的，但他就是沒有做這些，他只是製作了一道樓梯，我感覺很前衛。

愉： 魯師傅很清楚設計師的構思。

蓓： 我也遇過很多製作佈景的人，很多人給我的感覺是他只是個「工匠」，只是造出這個佈景。但魯師傅是藝術家，也有藝術家的脾氣，但他會用心看戲，會和我討論、告訴我他的感受，我覺得他真的很與別不同。雖然他的景，有時候效果比較好，有時候可能受預算、時間限制，比較遜色一些，但他對製景的用心，真的與別不同。他除了滿足製作要求之外，我覺得他很開心能滿足藝術家、或一位設計者的願景，我對此有很強烈的感覺。我們和他不是泛泛之交的合作關係，而是多了一份情感……

愉： 設計師的概念，他會盡量想辦法做出來。又或是導演有更改，他也盡量配合。剛才談到《兩條老柴玩遊戲》中三個不同角度的同心圓，其中一個圓圈因為向上傾斜了，而後面不能露出支柱，所以很難處理。魯師傅說過很多遍那個佈景很難處理，要考慮力學之類的問題，演員又要在圓形上走動，受這些條件限制，他也盡量完成它。結構上也嘗試在加設東西時，盡量不影響曾文通的佈景。還有，魯師傅懂得「閱讀」燈光，他不只一次讚賞過演出裡的燈光設計。

華： 是不是和佈景設計有關？

愉： 我覺得和他畫國畫、畫工筆畫有關係。

華： 也要說說《賈寶玉》。我們和Ewing合作，很多時候會把主題及物料集中到最簡化，所以表面看來我們是在呈現最簡單的樣子，但實際上因為我們東西少，也騙不了人，沒處隱藏，所以他要把所有東西都做得很精準。那道佈景最難之處是它是一個貨倉，很高。我們確切地搭建了一個廢墟，表示榮國府大觀園的榮華富貴已過去，但它不是一個真的廢墟，只是一個場景，要讓人感受到這是一個蒼涼的空間（圖五）。

而這佈景主角不是廢墟，反而是雪。我們撒了三個小時的雪，不停的撒，所以一定要有一個高度，讓雪由快至慢、由高至低落下，讓觀眾看得到它的流動。怎樣可以把佈景架設這麼高？如果在倫敦其中一所音樂劇劇場上演，做甚麼都可以，就如《哈利波特》（*Harry Potter*）舞台劇，長駐二、三十年，做甚麼都可以，但我們不是，我們是今天在這個場地演出、明天在另一個場地，Ewing也說這個設計只在HKAPA行得通……

Ewing的做法是先把佈景的頂部吊上去，因為柱子很多，就用那種高得嚇死人的雲梯，運載一位師傅上去，把逐根柱子在「bar」上鎖好。這些「bar」就像我們的牙齒一樣，有些可能壞掉了但沒有修補，你就要負責擔任牙醫。

我們到達北京展覽館劇場巡演時，他們的技術人員完全是使用人工的方式，用機器安裝上去。我們到達一個城市，置景的第一、第二晚，還有拆景那一晚，我們知道全裝好箱了，才敢睡覺，所以Bobo（陳寶愉）的壓力很大。這與魯師傅有甚麼關係呢？第一，我覺得這佈景始終要耐用，如果做得不好，過程中裝箱再取出，並不如收拾行李箱這麼簡單。

愉： 這個演出相對複雜些，設計的時候並未有巡迴演出的計劃。在不同的場地，其實只有兩天搭景，設計上也要注意一些事情，在乎取得平衡。魯師傅有個好處，如他知道演出會巡演，或是他知道林奕華的演出需要搭拆很多遍時，很多時候，在裝拆佈景方面，他會花很多工夫，預先做好準備……

華：　簡直像模型一般。

愉：　等於IKEA（宜家家居）一樣，寫好一份指引，我們只能僱用民工、內地工人搭景。帶領他們工作時，對照那份像IKEA的裝嵌傢俬圖表，就這樣砌佈景。《賈寶玉》很厲害，那一套佈景，我們用了兩年，兩次巡迴，加上台灣、新加坡、澳門共109場演出，基本上都是那一套佈景，一直都沒出現問題。

不只是Ewing，其實很多設計師都會考慮這些問題，前提是，如果要這樣做，他在物料上已顧及多次搭拆的需要。剛才我們提及行內生態和資源不多，魯師傅與設計師也會想方法配合開支。不是說沒得選所以我們選擇魯師傅，雖然與其他師傅相比，他會給我們一個較優惠的價錢，但他的出發點是實現設計師想法。有時候他明明知道虧本，也會幫我們做。他會用一些物料，使我們可以在預算之內做好佈景，會遷就香港表演藝術的發展方向來工作。

潘：　剛才你們提及與魯師傅如何合作，當中也牽涉到團隊如何合作的問題。導演、設計師，加上PM，甚至製景，對你們來說，怎樣才是一個理想的合作關係？有沒有建立過一些很理想的關係？

烈：　我在城市當代舞蹈團（CCDC）發掘到另一個自己。我會思考，與我一起共事的人是不是我的團隊？我是不是需要一個和我一起工作的人成為我的「團隊」？大家是否可以互相分享理念，當你「say no」（反對）時他可以提出一個建議。

愉：　舞團有它的制度。

烈：　他們會說「我們平時不會這樣做」，但其實他們心底裡是想改變，所以才會期待我加入CCDC，但是他們同時又會對改變感到不安，這是很正常的反應。所以我要重新整頓團隊，讓大家放下這些想法去做事。

蓓：　我們要塑造一個怎樣的環境，才能讓我們聚焦做一些事？十多年前，我們到芬蘭赫爾辛基，有個視覺藝術家朋友帶路，帶我前往一個藝術村。這北歐式的藝術村像是一些工廈，裡頭都是藝術家，包括有視覺藝術家、一些舞蹈團、一些小劇場，也有些工作室、展覽的地方，晚上在黑盒劇場也有演出。香港也有黑盒劇場，但最大的不同是那裡有工場、五金店。工場的木材全放在那裡，也有不同的店，有些在髹色，有些在研發一些東西，也有飯堂，有生活的東西，都在幾棟很有型的工廈之中，氣氛很好。

朋友說芬蘭政府真的在那裡建立一個藝術村，人們看表演就到那兒去，一些小型佈景會也在那兒搭建。那裡有不同類型的藝術家，有時會與一些大師合作，很多不同的事在那裡發生。最令人驚喜的是那裡有工具、有不同的人研發很多東西，暫時而言，香港也有藝術村：牛棚藝術村、賽馬會創意藝術中心，但有一樣東西我們好像沒有——技術，要多接觸一些技術。一個所謂理想的團隊，其實是大家圍著同一張圓桌，你有你的技術，他有他的貢獻。不能自己在家裡天馬行空地想，一定要執行，要有不同的人參與。和設計師合作，演員、前台工作人員需要背後很多技術支援，而技術支援不是只在背後，而是要在這張圓桌前一起做。很多時候，導演、編舞、構想等工作，都是對方搞定，我覺得這不是健康的發展。

華：　「Departmentalise」（部門化）。

愉：　我們上一代對於藝術的想法是：當作興趣就好了，不要投放太多時間，將來是否可以賴以為生？剛才Olivia（甄詠蓓）或者Edward（林奕華）說的，不單只是創作人是否清楚技術，甚至我作為技術人，我也這樣看。技術人很多時候也分割開來，「我又不碰觸藝術的東西，何必與導演談得太深入？」討論層面可能只停留在美學，已經很有藝術性，但再深入討論戲中深層的東西，他們未必不認識，但只覺得作為技術人員就不參與當中。

我個人經驗是，有人覺得，為甚麼我要參與創作的會議？「他們談好了，給你構思，你去執行，為甚麼你要這麼早就參與？」我覺得大家一直有這種固有的想法——技術是技術，藝術是藝術，兩者不相同。譬如我們四人在這裡坐在一起，每個人都有自己的團隊，我們可能稍早已在技術、藝術方面進行討論，很早已參與製作，我們也有談及這一群參與製作的人喜好有多相近。這很影響一個團隊，理想的當然是無論台、燈、聲、導演、演員，大家都是有著同一理念，或這次演出的藝術性選擇有一個很清晰的、認同的目標，這是最理想的。

蓓：　剛才你談到專業及分工，當然有其美麗之處，但我們很多時候被束縛在那裡，「你是PM，不要參與」、「你是導演，不要干擾那些PM」，所謂創意，每個人都有，例如Edward，他的知識，他的技術、願景與Yuri（伍宇烈）不同，他不純粹是一位導演、一位編舞，他是林奕華……不需要那條界線，導演就是導演，應該拔掉這些標籤，你的專業已在，不需要標榜是甚麼專業，不需要。

華：　所以我常常說，應該要有更多的藝術中學、戲劇中學，更多這類型的學校才行，不要等他們進大學後，要他們在四年內掌握所有的東西。有時候覺得他們很可憐，常說「〇九二三」（編按：從早上學習或工作到晚上），有時候想他們多做一點點事，他們說「但願我也可以，但沒時間」，每個學生都覺得自己是「填鴨」。所以我覺得，對於處於相同領域但不同部門的人，那份欣賞及了解，要從很早很早以前開始，幫他們打開可能性，讓他們對此著迷才可以。

坦白說，你問我一個人懂不懂設計，我看一個人做一件事做得很好的時候，已經很有啟發性，我不需要你告訴我一位設計師如何設計，我只希望看見一個人做好一件事。

華： 我覺得現在學校訓練有劇場構作，也注重舞台美學，不再是以前那個年代，但也需要時間。不只是說HKAPA應該由零開始，而是應該由家庭、社會、學校，由這些地方開始。我們一雙眼睛要如何看待不同事情……有這些改變，我們才能知道如何帶領觀眾思考問題，不只是用嘴巴、文字，而是可以用更加多視覺的東西。就我而言，這對很多人來說仍是很抽象，亦會抗拒抽象；電影也很抗拒意境，我們比較重視主題是否正確，有否說出大家想聽的東西。當超越這範圍，大家就生起不安。有趣的地方在於，製景表面上是工科的東西，但工藝，即等於說米高安哲羅也是，那工藝背後，其實是很精神層面的東西，我不覺得我會看到這轉變。我剛才說工藝，很多人誤會工藝是技術的東西，對於我而言，是情感的東西，這個藝術品，就是你投放的時間，時間就是情感。

蓓： 其實你說的，是如何建立自己的美學。每一個人，在我們行業之中，導演也好，設計師也好，剛才你（林奕華）說學校應如何建立美學，美學不是由別人教導給你，而是你自己。你啟發了學生之後，他認識他自己，他選擇何謂美，這包括舞蹈之中身體的美、人性的美、視覺的美。

華： 我常常覺得，那些平均主義，有時只是方便了平庸的發展，每個人也一樣。但是對於如何幫助我們找到真正的內在見解，這需要人們用自己的存在來說服你，未必一定要說些甚麼。我年紀愈大，就愈覺得，沒那回事，其實就是「個性」。有小朋友問我怎樣才能成為導演？我答「沒有！就是個性」。怎樣拍出好的東西？「沒有！就是個性」。要展現你的性格，因為那些東西不會推動時間向前。

很多設計師設計的佈景多美也好，如果有人走到一個佈景前說，「只是這樣搭建而已，你也可以這樣做」，他不是看見「why」（為何），而是看見「how」（如何）。我們的教育就是這樣，沒有辦法，很多人覺得能夠掌握「how」，就可以得到自己想要的東西。

烈：　所以你見到的「how」，你能做出來，就有成績，事情就完結了，「why」是無窮無盡的，哪有人願意和你無窮無盡地搭景拆景？做完就完了，這樣最滿足。

愉：　但是一所藝術學校，要問「why」，不是問「how」。

烈：　所以我也明白，不要介意他們只想做「how」，或者用「how」來達成你的要求，造出一張桌子也就算了。

愉：　我們從事藝術設計的，自己本身都沒有一種品味的時候，怎能做出一個好的設計來？你看見他喜好甚麼，自然就會設計出甚麼。

華：　有些設計師，為何我一看就知道我們之間沒火花，是因為我們沒有這個（共同的）興趣。難的地方是，要培養……話題稍為回到魯師傅，魯師傅也有很怪的特質，我意思是說，他不普通。我想說的是「It takes one to know one」（同類相知）。為甚麼我們不能有多一些奇怪的人？太齊整了，有很多東西都是這樣。很多時候就是但求沒過錯，但是否真的有那種敏銳……我覺得，有時候人與人之間那種火花，是你欣賞他與別不同，你內心有迴響，你的心被他牽引了過去。

愉：　你們認為香港舞台有沒有一種舞台美學？

華：　如果說香港劇場有甚麼特色，我覺得我與其他劇團不同的地方，是我如何看待「reality」（現實）這一件事。我從來不覺得現在發生的事是「reality」，所以我沒有興趣講大家都在講的事，因為這些事情在幾年後、千萬年後只是一顆石頭。大多數人都以為自己正在面對的事是自己最關心、最逼切的事，對我來說，有這樣想法的人對自己的了解又有多少？如果我們覺得我們正在面對的事是「reality」，那麼你自己的「reality」是從那裡來的？其中一樣是，你每晚發的夢，在夢裡你是和現實中不同的人，我更感興趣的是「reality」裡的「real」（真實）。

華：　我們現在都在講網路上的流量、數字，都是在等待制度替我們作主意，這些都不是「real」。我們為了自己的方便，將自己客體化了。真正的主體才是真正的「real」。對我來說，「realness」（真實）在你的潛意識或是無意識裡。所以觀眾會從中有新發現，而不只是覺得「它說出了我的心底話」。這十年來香港有沒有一個演出是會令人覺得「嘩！我沒有想過它會說這樣的東西！」，而這些東西原來是「我」來的。世上有多少人是真的想發現自己，更多的是想隱藏、欺騙自己。我們做戲劇怎麼可能不是去面對這些人呢？這個「reality」與美學有關，這種「美」能夠衝擊到你的潛意識，令你反思「我還是我嗎？」能夠有設計師與你討論這些想法，是無比幸福的。

烈：　設計師會從另一角度將你的想法呈現出來。

潘：　亦想討論一下，你們覺得香港的表演藝術場地，可以如何發揮香港舞台的特色？

烈：　對於西九即將落成的演藝綜合劇場，每次聽完諮詢我都很迷茫——為甚麼只有某些藝團可以進駐演藝綜合劇場？你還期望我們能好好地善用它，好像是場地是鍍了金一樣，覺得「你不是渴望（這種場地）很久了嗎？」但要場地怎麼樣處理「人」？人的流動性和隔膜，你怎麼能說數個藝團能在演藝綜合劇場內共處？15年前他們構思建立這個場地的時候可能存有這個幻想，現在你看看那些團從未曾走在一起，為何他們仍幻想這些藝團能共用這個空間？還覺得「很難得，才多少錢一呎而已！」我們要用他的場地演出，是要付租金，我明白了，原來有些事是這麼荒謬。

華：　從另一個角度看，紐約百老匯劇院或倫敦西區劇院，現在歐洲很多由政府支持的劇團，再過三、五年，他們可能同樣面對這種……我不敢說是荒謬，因為根本不能回頭，根本不能像以前一樣，人已經變了，你怎能依然期望人們能坐在劇院裡，思考如何重新認知世界，觀看現實。

烈：　所以設計上，仍然是用劇場、劇院這種模式、制度，是不會變的，我們應該思考怎樣看待這些表演的地方，或者思考為何要表演。

蓓：　今天談了兩個小時，說來說去，某程度上我們被局限了在這個環境裡，剛才你說的教育，或者整個社會，大家都像是在坐牢一樣，這麼多年來我覺得（制度的）「大怪獸」（核心問題）是包括……我這麼說好像很嚴重，就是包括劇場的某一個駐場劇團，定了在這裡，沒法移動。這在九十年代曾出現過激烈的討論、爭取過一些東西，也有一些夢想，也曾出現希望，但一次又一次，永遠都像在原地踏步，走不出來。

烈：　像你剛才說的，遠處有一個人看著我們正在做的一些事情，他可以改變它們，這對我來說力量最大，甚至我們能否主動辨識出這些人，就是做些工作，就是這樣而已。

華：　Olivia剛才說的，或你說的，我覺得重要的地方是，你們都用不同的方式提出甚麼是「free」（自由），或者甚麼是「free spirit」（無拘無束），我們可不可以問自己到底我想有多「free」？或者可以怎樣呈現「free」。

蓓：　我可以說說，如果你說「free」，我會用另外一個字眼「unblock」（解放）。無論是整個香港劇場發展，好像有很多東西鎖緊了、捆綁了我們，使我們不自由。我希望可以「unblock」一些東西，無論是自己在創作方面……我教學時，來上課的很多是素人，有些當然是專業的、很想演戲的人。很多人需要有人和他們傾談，聆聽他。未必是聆聽他們說的話，可能是透過演技的練習來了解他們。他們在練習的時候，我就在聆聽他們內心深處鎖著他們的一些東西。剛才你問我們能夠做些甚麼，我很尊重Yuri，面對這樣一個「大怪獸」，你也衝進去工作，其實你正在「unblock」。

蓓： 我們能力範圍能做的，你未必知道，譬如我在二〇二〇年做了「動戲・童迷香港藝術計劃」，我與一些年輕人用視覺藝術來創作，幫助他們打開自己。我只做一個平台，邀請你來創作，只提供少許指引，可能他們只需要一個平台去表達自己腦裡的聲音，就不要去騷擾他們。你畫一個「框」給他們……正如我常說想畫一個「框」給Yuri、畫一個「框」給Edward，讓他們自由地創作，是一件很美麗的事。Bobo也畫了一個「框」給我們，魯師傅也畫了一些東西給我們，令我們可以多走兩步，做到我們要做的事。當然仍然有很多限制在其中，但這樣給了我多一些的動力，不會像是在制度內坐牢一樣。

華： 聽到這裡我有興趣問，Bobo你覺得魯師傅是不是一個很「free spirit」的人？

愉： 他是藝術家，但他的工作富技術性，所有東西都是數學。那道佈景畫好圖，能否搭到、如何搭到，其實都是數據，我覺得他能超越這些東西。他有自己的一套，他的經驗讓他知道如果他不這樣做，他還有一至十個選擇，只不過是視乎你想選擇哪一項。很實際，我們作為PM和他商議，三個星期要做成某程度的成果，要不你減去某些部分，要不你多給些錢；兩個星期，你還想更改？不如你犧牲某些東西。魯師傅有一種無論如何要幫你完成的心態。

我想回應Yuri有關劇場，例如西九。香港的劇場與其他地方不同，很多時候別人問起「劇場」，指的到底是劇場本身，還是演出的單位名稱為劇場，或者我們這個行業叫做劇場？我們從來沒有談論過。剛才你說的，劇場到底有多「free」，我們作為持份者去使用劇場，我們不能參與劇場究竟是如何興建的，這是一個很大的問題。我們只是被通知未來將會興建一個多功能的場地——歌劇也能在裡面上演，音響效果很美；做音樂劇的，這裡空間很適合；舞蹈的又怎樣怎樣。裡頭甚麼都能做，但同時一樣都做不到。

烈： 和賣樓一樣，你要海景——這就叫海景？你要露台——這樣就叫露台？甚麼都有。

愉： 其實能跳舞的地方，就做不了歌劇；一個說「（冷氣）風口吹著我」，另一個就投訴很冷。我們永遠只是短租場地來演出，像Airbnb一般。我這次去文化中心演出，只要有錢、有商業投資者就可以重演，將來我就可以去HKAPA歌劇院重演。這還好是一個正常面積的劇場，我們面對最多的問題是由一個大劇場遷移至一個小劇場上演，其實也有這些問題。

華： 我想回到剛才我所說的「reality」，這個現實是：因為有這些劇場滿足了一些功能，他們才興建？還是我們這個地方需要有戲劇藝術？戲劇藝術亦要隨著這地方有些甚麼人，才能決定怎樣去使用。

愉： 談到歷史，以我有限的知識，這是民政政策。其實等於興建一個游泳池、體育館沒有分別，基本配套是游泳池需要一個夠大的成人池、一個兒童池、一個訓練池；劇場就是要一個大劇院、一個實驗劇場，然後加一些綵排室，很理想。做工作坊、怎樣用都好，其實都是建構出來，真正如何使用，其實沒人在意。

華： 我說到「reality」的時候，不知道是不是在暗示，當看事物看得很「近」時，你談及的所有東西都是關於功能，屬於過去的「近」。有些人喜歡來西九，有這個空間、有草地，但你運作裡面的劇場，其實與外面的人沒有關係。

愉： 這情況在屯門大會堂也一樣，屯門大會堂外面是商場，但人們不會進來劇場，裡面發生的事與他們無關，所以問題不在於硬件本身。最初在這個新市鎮興建大會堂，我覺得民政角度的出發點是旁邊有商場，所以考慮到人流。只不過那裡的人的生活模式不能預計，那時的人會花大部分時間前往市區上班再回家，週末也可能想休息，有多少人會願意進入劇場？即使粵曲是我的興趣，真的很喜歡，也沒有精力和時間花在這上面。

烈： 附近的人是有空才會進去。

蓓：　所以剛才你說在學校教學，其實還有很多資源、場地，還有很多空間，現在世界在這個疫症之下，動盪不安，我看見很多生機，這時候更要尋找一些空間。能夠在劇場裡演出當然很好，但這不是唯一。剛才Bobo問劇場是甚麼，我心目中有一個定義，但不是一個規限。當然我們也要吃飯，但不是單單受現有資源、場地規限，來定義我們的作品、追求。剛才你說，就像買樓一般，「這是海景，五百呎，價錢是多少，就這樣，你進去吧！」像坐牢一樣。你是不是一定要買這單位？我們可以不買的，我們要找尋其他的方法、資源，可以做到我們理想、嚮往的事。

華：　剛才他談到的，我覺得有一個意思是，要用甚麼方式才能讓官僚懂得欣賞你的意念，當然很大程度上，這是一個「good will」（理想）。現實很多時候大家都是先解決眼前的問題。

潘：　你們是最接近「artistic vision」（藝術願景）的人，在你們各自的關係中。你剛才談及到很多人如Ewing、魯師傅……他們走了，我們才更加看到他們的貢獻及重要性。你們剛才分享的時候，我在想Ewing、魯師傅現在在上面……

華：　所以我很大感觸。你（甄詠蓓）找得到其他製景師傅嗎？

蓓：　Bobo找得到。他們的離開對我們的影響，我還未看見，暫時我未預見到那影響有多大，但我見人們開始張羅，特別是現在，佈景在內地，不能運送下來，不知怎麼辦。

愉： 有些師傅曾在魯師傅的廠房工作，現在自立門戶，有兩三間，香港也有一間。多年來，也很清楚哪些佈景會交給魯師傅、哪些景未必會選擇魯師傅。未必一定是錢的問題，也有設計師及管理方面的考慮。一個佈景造好後運回來，最終的成品如何，他們未必看得出分別，但我們做PM或是技術人員就會知道。內地的人工、材料、運輸費也上漲了很多，魯師傅未走之前已有這問題出現。我和Olivia正在製作的佈景也是找內地的師傅，比較複雜的是我們不能上去看景，只能靠遙距拍片、拍照。

華： 收貨就收貨了。

愉： 是的，靠WhatsApp、微信去看。那個影響不純粹是魯師傅走了，是剛巧全球疫情，甚至二〇一九年時也很動蕩，多少也有一些影響。至於所有東西恢復過來時將會是怎樣，其實仍未知道。魯師傅的廠房交了給他女婿及仍在工作的人繼續運作，以前在觀瀾，現在搬了去惠州。這個生態現在轉變中，我們到內地看景預算的時間、佈景運送下來的時間，其實在魯師傅未走之前已有變動。至於美學上、佈景上，當然不同的佈景廠有不同喜好，同樣做一張桌子，幾家佈景廠的師傅喜好都不一樣，分別在於設計師和我們要討論，想由哪一種手工製作出來。

（圖一）劇場組合《兩條老柴玩遊戲》（1999）

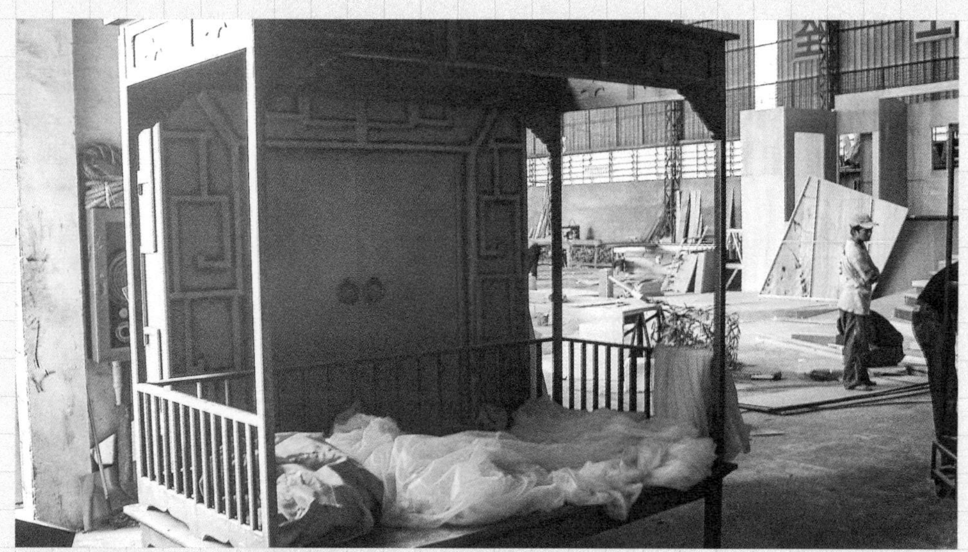

（圖二）任白慈善基金《西樓錯夢》（2005）佈景視察

（圖三）任白慈善基金《西樓錯夢》（2005）佈景視察

（圖四）非常林奕華《華麗上班族之生活與生存》（2009）

（圖五）非常林奕華《賈寶玉》（2011）

好景——魯師傅與香港舞台：設計與創作 Setting the Stage: Master Lo and Set Design in Hong Kong — On Creation

聯合出版：
香港話劇團、中英劇團、香港舞台技術及設計人員協會（《追憶 · 有德有義魯師傅》出版計劃眾籌召集團體代表）、國際演藝評論家協會（香港分會）

《追憶 · 有德有義魯師傅》出版計劃眾籌
召集團體（按筆畫序）：香港專業戲劇人同盟、香港舞台技術及設計人員協會、香港舞蹈聯盟、香港演藝學院校友會、香港戲劇協會
召集人（按筆畫序）：王梓駿、甘玉儀、伍宇烈、李浩賢、徐碩朋、曾以德、黃懿雯、溫俊詩、潘詩韻、盧景文、龍世儀、羅國豪

香港話劇團有限公司
電話：(852) 3103 5930
傳真：(852) 2541 8473
電郵：enquiry@hkrep.com
網址：www.hkrep.com

中英劇團有限公司
電話：(852) 3961 9800
傳真：(852) 2537 1803
電郵：info@chungying.com
網址：www.chungying.com

香港舞台技術及設計人員協會有限公司
電郵：hkatts@hkatts.com.hk
網址：www.hkatts.com.hk

國際演藝評論家協會（香港分會）有限公司
電話：(852) 2974 0542
傳真：(852) 2974 0592
電郵：iatc@iatc.com.hk
網址：www.iatc.com.hk

計劃統籌：李浩賢、潘詩韻
行政統籌：黃懿雯
資料統籌：曾以德、梁菀桐
編輯：潘詩韻、陳國慧、朱琼愛、林喜兒
執行編輯：郭嘉棋、楊寶霖
校對：祝雅妍
封面設計及排版：張惠淳
印刷：綠藝（海外）制作
發行：一代匯集

2023年11月初版
定價：港幣480元
國際書號：978-988-76137-9-4
Printed in Hong Kong

香港話劇團、中英劇團由香港特別行政區政府資助
Hong Kong Repertory Theatre and Chung Ying Theatre Company are financially supported by
the Government of the Hong Kong Special Administrative Region

國際演藝評論家協會（香港分會）為藝發局資助團體
IATC(HK) is financially supported by the HKADC

香港藝術發展局全力支持藝術表達自由，本計劃內容並不反映本局意見。
Hong Kong Arts Development Council fully supports freedom of artistic expression.
The views and opinions expressed in this project do not represent the stand of the Council.